JN203480

神道とは何か
What is Shintō?

小泉八雲のみた神の国、日本
Japan, a Country of Gods, as Seen by Lafcadio Hearn

平川祐弘・牧野陽子 著
Sukehiro Hirakawa・Yoko Makino

錦正社
Kinseisha

はじめに

平川祐弘

平成二十九（二〇一七）年六月三日、日本・アイルランドの外交関係樹立六十周年を記念して、明治神宮参集殿で講演会が開かれた。アイルランドのアン・バリントン大使出席のもと、外国人も含む三百数十名の聴衆に向けて「神道とは何か」を私ども二人のハーン研究者がお話した。小泉八雲の日本名で知られるラフカディオ・ハーンは、父はアイルランド人で母はギリシャ人、しかも最初の西洋人神道発見者といえる人である。それで私、平川祐弘は「小泉八雲と神道——ギリシャ的解釈とアイルランド的解釈」を、牧野陽子は「ラフカディオ・ハーンがとらえた神社の姿——“A Living God”をてがかりに」についてそれぞれ説明した。このシンポジウムを主催し私どもにこのような発表の機会を与えてくださった明治神宮国際神道文化研究所の私どもに対する変わらぬご好意にお礼申し上げる。講演原稿は研究所の機関誌『神園』第十八号（二〇一七年十一月）に掲載された。

すると主催者側から、近年増加の一途をたどる明治神宮への内外の参拝者向けにこの際、講演の日英両文を一冊のブックレットにまとめて世に出してはいかがか、ということに有難いお申出があった。神道理解の一助となるというお話である。講演会当日はアイルランド大使館後援のシンポジウムであった関係で、同時通訳が二名派遣されていた。私たちはその通訳たちの手できちんとした英文に訳されていたのだろうと漠然と思い込んでいた。しかしそれは同時通訳の能力を過信した間違いで、録音を聴くと、通訳の英語できちんと理解できるのは講演者が当日配布したハンドアウトの引用英文を読み上げた箇所であった。同時通訳が難しい仕事であることは私どもも職業柄承知はしていたが、まさかこれほどとは思わなかった。当日、イヤホーンで聴いた外国人傍聴者は二人の日本人の講演内容の程度の低さに憮然としたことであろう。そう思うと私たちは正直いって、いい気持はしない。しかしこれはなにも当日の通訳の能力に特に問題があったということではなく、世間は知らないのかもしれないが、それが今日の日本の対外発信力の実情なのである。また関係者はそのような言語的バリヤーの現状をはっきりと直視して口に出して言わなかったから、日本は、戦前・戦中・戦後を通して、しばしばものいわぬ大国として誤解されてきたのである。このままではいけない。とくに日本固有の宗教である神道は外国でしばしば誤解されてきた。このような様で放置はできないと思った。

それで私はこの機会に神道への誤解を解きたいと思い、原稿の最初の三分の一強は西洋人の神道理解と誤解の歴史、Changing Western attitudes toward Shintō について新しく書き下ろして論じ、西洋人の神道観の変遷を大観した。その先、日本文と英文と完全に一致しない箇所があるのは、文化的国籍を異にする読者により細かい説明を必要とする人とそうでない人とがいるからである。特に平川講演の日本文の最終部分の「天皇家の神道」は譲位問題がきっかけで考えたことを述べてある。大切と思い、日本文は長く残した。外国人読者の関心の外にある問題と考え、また問題がハーンからは離れるので、英文は短くした。その代り英文ではアイルランド関係をやや詳しく述べた。その結果、日英両文ともだいたい同じ長さの出来上りとなっている。日英両文が必ずしもすべて同じ内容でないことは、以上の経緯によるが、双方ともお読みいただけると問題が立体的に見えて来るであろう。

ブックレットのために新しく稿をおこすうちに、この本は大勢の内外の人に読んでいただきたい、という気持が強くなった。結局私は、英文を先に書いて、その後で日本文を書いた。英訳を作るよりは新しく英文を書いて、それにあわせて日本文を新しく書く方がまだしもうまく行くか, らで、それでその順で仕事した次第である。

もしかすると老人特有の独断と偏見が強く出過ぎていないかと心配している。しかし半生を振り返ると、私が高飛車な話をしたあとに牧野さんが穏やかに優しく美しく語ると、外国でも日本でも、硬軟とりまぜての二人の講演はいつもうまくいった。今回も拙稿が牧野原稿と一緒におさまることで、良い美しい本に仕上がったかに感じている。関係各位に謹みてお礼申しあげる次第である。

神道とは何か——小泉八雲のみた神の国、日本

目次

はじめに……平川祐弘 1

神道とは何か

——小泉八雲のみた神の国、日本

平川祐弘

一　西洋人の神道観の変遷

神道ははたして「発明された宗教」か

神道とは日本人の固有の宗教のようにいわれますが、どのような宗教でしょうか。あるいは宗教ではないのでしょうか。神道については西洋人の間にも二つの正反対の見方がありました。

西暦一九〇〇年前後、明治三十年代半ばの東京には、二人のすぐれた西洋人日本研究者がいました。一人は小泉八雲の日本名で知られる作家のラフカディオ・ハーン(一八五〇―一九〇四)で、当時は帝国大学で英文学を講じていました。もう一人は日本学者のバジル・ホール・チェンバレン(一八五〇―一九三五)です。ハーンは日本人の霊の世界に興味をもち日本固有の宗教である神道の価値を初めて発見した人といわれます。チェンバレンは第二次世界大戦前、西洋日本研究の群を抜いた権威ある大御所でしたが、彼は神道にたいしてきわめて否定的な裁断を下していました。この二人は当初はたがいに敬愛する仲でしたが、その友情が後に破れたのは、一つにはこの日本の土着の信仰に対する評価の著しい懸隔に由来したといってもよいでしょう。チェンバレンは彼自身がヴォルテール風な理性論者で、宗教に対して皮肉な見方を洩らしましたが、とくに神道にたいして厳しく、彼の主著『日本事物誌』で次のように述べています。

神道とは神話や漠然とした祖先崇拝や自然崇拝に与えられた名前で、仏教の日本渡来に先だって存在した。

神道は、しばしば宗教と見做されるが、ほとんど宗教の名に値しない。日本で神道を愛国心涵養の制度として維持しようとしている当局者でさえそう言っている。神道にはまとまった教義もなければ、聖書経典の類もなく、道徳規範も欠いている。……人々の心を動かすにはあまりに空虚であり、あまりに実質に乏しかった。仏教に比べて神道はそれ自体の中に深い根を持つものではなかったのである。

明治の最末年の一九一二年、三十余年の日本滞在を切り上げたチェンバレンは、帰国するや《新宗教の発明》と題してさらに冷笑的な論をロンドンのラショナリスト・プレス協会から発表しました。それは、神道はいまや武士道という名の下で日本の官僚組織によって発明された天皇崇拝・日本崇拝の忠君愛国教となっている、という主張でした。チェンバレンのこの発言は当時の世界で権威あるものとして受け取られ、日本が世界五大強国の一つとなるにつれ、同様趣旨の神道批判論がその後あいついで英語で書かれました。執筆者にはキリスト教関係者が多く、一九二二(大正十一)年にはD・C・ホルトムの『近代神道の政治哲学――日本の国教の研究』が出ました。第二次世界大戦中、連合軍側では日本兵士の果敢なファナティックな戦意を支えるものはこの国教としての神道、すなわち「国家神道」であり天皇崇拝であるという説がもっぱら行なわれたのは、もとはといえば、これらの意見に由来します。

このようなチェンバレンとそれと同傾向の「発明されたものとしての国家神道」に対する手きびしい見方が西洋諸国でまかり通ったのに対し、日本に帰化した――当時の英語の言い方をそのまま訳せば、日本で「土人となった」――ハーンは、日本の代弁者と目され、そのために、ハーンの神道についての見方は米英側では懐疑の目で見られ、とくに日米開戦以後は、いや今日に至るまでも、ハーンは無視される存在となってしまいました。アメリカの軍用船にラフカディオ・ハーンと命名しようとしたら非難の手紙が米国海軍省におびただしく届き、当局は愛国者の名前に変更すると釈明した由です。しかし小泉八雲の日本名で知られるラフカディオ・ハーンは日本では広く愛されよく読まれています(1)。

二十一世紀のいま、日本の土着の信仰である神道は、どうやら日本では静かに栄えています。東京にある神道の大きな社である明治神宮は、明治天皇を祀ってある神聖な場所ですが、日本人参拝客だけでなく外国からの観光客も多数お見えです。

この一見矛盾した状況下では、西洋人の日本土着の神道についての見方の変遷は、多少調べるに値することではないでしょうか。チェンバレンの低評価が正しかったのか、それともハーンの高評価が正しいのか。日本人の霊の世界を探ろうとしたハーンの怪談のような文学作品はなぜ読者を惹きつけるのか。神々の国の首都の松江で書かれたハーンの紀行文ははたして正確か。彼の神道を基底にすえた日本解釈はまちがっていないのか。

英米人の神道低評価

西洋人が神道について初めて学問的に議論したのは、一八七四(明治七)年二月のことでした。開港地横浜に集まった当時の西洋人の日本通が下した結論は、文明開化の時代には神道は遅かれ早かれ消滅するだろうという見解でした。[2] これは今日から振返ると、どうやらまちがった予見だったようです。様々な浮き沈みの後、第二次世界大戦後も神道は仏教と並んで日本の二大宗教の地位を保ち続けています。

明治末年、神道が国家主義的な風潮にのって勢いを吹き返す様を見るや、神道消滅の予測が当たらなかったことに対して、心理的に強弁する立場に立たされたからかもしれませんが、チェンバレンはそれを「新宗教の発明」と断じました。この説明に一部宣教師たちも同調しました。それというのは安土桃山時代の日本は一世紀にわたってキリスト教が栄えたとかつて報じられたものだからです。明治の開国以来「夢よ、もう一度」と思った宣教師たちは多かったでしょう。その大航海時代の大先輩たちの活動成果に比べて、明治・大正・昭和の日本におけるキリスト教布教がおよそ成功したといえない。その実情を見て、西洋人宣教師たちも、神道が国教となり、それが天皇崇拝と共に日本のキリスト教化の大きな妨げになっている、と神道批判を言い出しました（本当は一五四九年のザビエル来日以来の百年間を「日本のキリスト教の世紀」などと呼んだのが西洋側の誇大宣伝の思い上がりだった、ということに思いをいたすべきだったのでしょうが）。

ここで忘れてはならないのは、第二次世界大戦がはじまる前、中国大陸にはキリスト教がひろがる明るい可能性があるが、それなのに、その善き中国を侵略するのは悪しき日本帝国だ、と北米で強烈な反日運動を展開したのはアメリカの東洋向けの宣教団体だったということです。『ライフ』などアメリカを代表する雑誌は親中反日の大宣伝機関でしたが、米国の世論の動向を支配しました。

敵役にされた神道

しかしこのように変わってきた英米人の神道評価は、どこまでが筋の通った、理屈にかなう見方だったのでしょうか。明治初年には「あまりに空虚で」「人の心を動かさない」と認定されたはずの同じ神道が、七十年後の一九四四(昭和十九)年には、日本の狂熱的な愛国的国家主義のバックボーンであると認定されたのです。God-Emperor の国日本の天皇崇拝を中心とする信仰体系がとくに西洋キリスト教文明社会の敵役とされたのは、その年の秋からフィリピンで、ついで沖縄で、日本の神風特別攻撃隊が出動したからです。特攻隊員は爆弾を積んだ飛行機もろとも敵艦船に体当りを試みました。米軍はこの必死の攻撃に驚愕し、天皇を神とする神道の宗教的狂信のゆえであると説明しました。果してそうであったのか。特攻隊員は自分を犠牲にしても多くの同胞の命を救いたい、救えるのでは、との覚悟で、生きて帰らぬ攻撃に飛び立って行ったのではないでしょうか。

私自身は、来世の存在を信ぜぬ合理主義者であろうとも、自分が飛行兵であったならば、マリアナ基地から飛来する敵爆撃機が原子爆弾を積んでおり、それを日本の都市に落そうとしている、その情報が解読され事前にそうとわかっていたならば、たとえ自分が死のうとも必ずや体当り攻撃を試みたでしょう。そしてその気持はいまも心の奥底のどこかにひそんでいます。あたかも飛行兵一人一人の行為が狂信という無思考の結果であるかのごとく言うのは失礼な説明ではないでしょうか。もっとも日本人の中にもそのような旧敵国側の見方に同調なさる方もいらっしゃいますが。

私は千九百三十年代から四十年代にかけて教育を受けました。もし神道が日本の国家宗教にされたというのが事実ならば、国公立の学校ではそれを教える宗教の時間があってしかるべきはずでした。だがそんな神道を教えるクラスはありませんでした。戦時下の日本でしたから宮城遥拝の行事はあり、毎月八日は大詔奉戴日として宣戦の詔勅は読み上げられました。国家主義者による神道の利用も操作もありはしました。神がかりの愛国的「正論」を発言する人はおりました。しかし神道を人為的に「国家神道」に仕立てたぐらいで、そのような必死の愛国精神を発揮させることができるものでしょうか。そもそも日本人自身は戦争中は「国家神道」という言いまわしを聞いたことがなかった。「国家神道」は戦後になって英語の State Shintō の訳語として日本語に定着したものです。

では「国家神道」なるものは一体どれだけの天皇崇拝、日本崇拝、忠君愛国教としての実体があったのか。日本人は本当に天皇を神として信じていたのか。かりに『万葉集』以来のいいまわしである「あらひとがみ」と呼んだとしても、それは God-Emperor と英訳すべき存在なのか。

それとも日本人は天皇をゴッドだと思っているという見方は、日本兵の強固な戦意におびえた人々の空想的解釈なのか。連合国側の戦時下のプロパガンダだったのではないか。むしろそれにひっかかったのはあるいは連合国側の将兵自身だったのではないか。それとも国家神道非難は長い目で見れば宣教師的偏見が生み出した反神道キャンペーンの一産物か。ひょっとして人種的偏見の一変種か。黄禍論の生まれ変わりの宗教論か。

人間という者はとかく先入主に左右されがちなものです。それで戦後になっても占領軍は日本の神道の影響力を怖れました。日本を打ち負かしたからには日本から国家神道と化した神道の政治的影響力を徹底的に排除せねばならない、一九四六年の憲法第二十条に「いかなる宗教団体も、国から特権を受け、又は政治上の権力を行使してはならない」とあるのはその布石の一つでしょう。神道脅威論を思い込んでいる外人記者は今もいるようで、その中には、為にする議論かと思いますが、意外な懸念を述べる人がいます。すなわち二十一世紀の日本にもなお危険きわまりない国家主義的な神道復興の政治的な動きがあり、その証拠に安倍晋三首相は先進七カ国首脳会議いわゆるG7サミットを意図的に天皇家のご先祖の天照大神が祀られている伊勢の皇大神宮の御膝元の伊勢志摩で二〇一六年に開催した、と報じたりしました。以上が西洋側の否定的な神道観の変遷についての概観です。しかし皆さま神道を国家神道であると言い、このような日本国民を対外的に好戦的にする原因であるとして、敵役（かたきやく）に仕立てたのはどこかおかしいとはお考えになりませんか。土着の信仰としての神道は、チェンバレンも感知したように、神話や漠然とした祖先崇拝や自然崇拝を指すのです。

神道とは何か

それでは次に神道とは何か。なぜラフカディオ・ハーンは外国人でありながらいちはやく日本人の霊の世界を共感的に理解することができたのか。その肯定的な神道理解ははたして正しいのか。贔屓の引き倒しではないのか。その点を問題にしたいと思います。

伊勢神宮であるとか出雲大社を訪ねる人は、日本国の晴朗な聖地には真に宗教的な雰囲気があることを感得して立去るようです。東京にも、建立されてまだ百年に過ぎませんが明治神宮のたたずまいは印象的です。大きな鳥居があり、参道が代々木の森の中に長く続きます。そしてその深まった奥に木造の拝殿があり本殿がある。その前で人々は柏手（かしわで）を打ち祈願しています。そこで婚礼の式をあげる外人さんもいる。神宮とそれをとりまく森は、巨大都市東京の中に在って深い安らぎを参拝客にもたらします。心が洗われるようなすがすがしい気持になる。神宮に参拝すると、この内苑は神域と呼ばれる聖なる空間で、外苑のような単なるパークではないことが自ずと感得されます。外国からのお客様も神宮の社頭に立てば、神道がどのような宗教かは知らずとも、思わず恭しい態度をとらざるを得なくなります。

それでは神道というこの国の土着の宗教はこの島国で非常な活力をもっているのでしょうか。いまの日本には神社は八万ほど、仏教寺院は約七万、キリスト教会はおよそ三千あります。神社仏閣の数はかなり多い。ちなみに全国の小学校の総数は西暦二〇〇〇年には二万四千でした。しかしお寺が栄えているのは観光資源として儲かっている場合もあれば、自動車のパーキングで収入をえている神社もある。神職の数はおよそ二万二千人で、人口減少の田舎では神主のいない神社もふえ、非常勤で一人の神主がいくつも神社を掛け持ちでまわっている場合もあれば女の神主の場合もある。しかも管理する人のいない神社の数はふえる一方で、将来が心配されます。そこで生ずる疑問は今日の日本人はどこまで宗教的なのか、一体日本人は神道の神様を信じているのか、どうか。

日本人の多数は神道か

日本人が宗教的か否かについては意見は様々に分かれます。元旦、東京原宿の明治神宮にはおびただしい数の人が陸続と参詣に来る。その様を目撃すると誰しも感銘を受けます。初めのころはボーイ・スカウトが整理にあたっていたが、いまや警視庁の機動隊が、皆さんが混乱なく粛々とお詣りできるように、交通整理にあたっている。元日のまだ暗いうちから三百万をこえる人が長い列をなして参道を進み拝殿の前で祈願します。その数はクリスマスの日にバチカンに参集するカトリック教徒の数よりも多い。しかもなにも明治神宮にかぎらず全国各地の神社仏閣に正月三が日にあらたまった表情や晴着姿で参詣する人もいる。その様を自分の目でしかと見た外国人は、日本人はたいへん宗教的な国民だと結論せずにはいられません。

エドウィン・ライシャワー博士によると日本の神話や漠然とした祖先崇拝や自然崇拝から成る神道の底流は歴史以前の時からほとんど変化せずに今日に伝わっているとのことです(3)。軍国主義の時代には神道神話が国威宣揚のために利用されたことはあったでしょう。天孫降臨神話が声高く唱えられたこともあったでしょう。天皇崇拝が強調され強制されたこともあったでしょう。宮城遥拝の儀式はありました。精神運動の一環として禊(みそぎ)の修練が行なわれたこともありました。だがそうしたことがあったにせよ、土着の信仰としての神道はほとんど変わりませんでした。神道の中心は自然崇拝と祖先崇拝で自然の霊や祖先の霊との一体感が大事なのです。今日、若い人が明治神宮に参拝に来るのは神宮の宗教的なたたずまいそのものに惹かれてくるので、そこに御祭神として祀られている明治天皇や皇后であられた昭憲さまを偲んで参拝に来るのでは必ずしもないようです。一般に地方の神社では御祭神が誰であるか気にせずに参拝する人が多いのが実情ではないでしょうか。

だとすると日本人は一見宗教的な国民であるようにも見えますが、統計の結果は必ずしもその印象と一致しません。日本で個々の人に本人の宗教について質問すると、はかばかしい返事を貰えないことが多い。なんとなく答をはぐらかす人もいる。それというのは確たる信仰のない人は、自分の宗教が何であるか述べたがらない。神社に参拝する人でも自分が神道家であると称する人はきわめて少ない。これがクリスチャンとの明確な違いで、日本でキリスト教徒は少数派ですから、信者は逆にはっきりと自己主張をするようです。新宗教に帰依する人も一般に声高になりがちです。仏教の信徒も自分が何宗であるか名乗ります。しかし日本では無宗教という人でも神社には時々参詣したり、家族の葬式は仏教のお坊さんを呼んであげたりする人が多い。それが社会的なしきたりとなっているからで、こうした人は本人は無宗教と言っても統計では神社の氏子や仏教徒にかぞえられてしまいます。

戦時中のアメリカ人の神道理解と神道誤解

明治時代でも「あなたの信じる宗教は何か、仏教か神道かと尋ねると、たいていの日本人は困った顔をする」とチェンバレンは『日本事物誌』に書いています。人間が信ずるのは一つの宗教だけのはずという態度で質問されると答えようがなくて困惑したのでしょう。しかし今日の日本人の多くが自己の宗教的アイデンティティーについて無関心というか、特に神道について、はっきり述べないについては二つ理由があるかに思われます。一つは無自覚的な理由で、もう一つは自覚的な理由です。

第一の理由は神道という宗教の性質そのものと関係します。神道には神道とは何ぞやという定義もなければ経典もありません。そこがお経という仏典をもっている仏教徒、『バイブル』を持っているキリスト教徒、『コーラン』をもっているイスラム教徒と違う点です。西洋人は『聖書』に重きを置きますが、普通の日本人は神道の古典である『古事記』を特別に重要視していない。『古事記』は西暦の七一二年に編纂され、神道の神々にまつわる神話が書かれていますが、その読書が日本で広く行なわれているわけでもない。神道の宮司は仏教の僧侶と違い、経典を読み教える教師ではないのです。神道は教えるよりも感じられる宗教だからでしょう。日本人が自分たちは西洋人やイスラム圏の人に比べて宗教心が薄いという自己認識を抱きがちなのはそのためかと思われます。そのようなためらいの感情があるかぎり、自分自身を神道家と積極的に名乗り出ないものでしょう。日本人は西洋人は日曜日に教会へ行く、イスラム教徒は一日に五回メッカの方向へ跪いてお祈りする、その何人かは『コーラン』を暗記している、それに比べて今の日本人はそう規則的にお詣りするわけでもない。元日にお詣りに行くことは今日広く行なわれていますが、しかし神社で宮司が説教することはない。神道のお祈りの決まり文句もはっきりしない。皆さん柏手を打ち、黙って祈願しています。

日本人が自分は神道だといいたがらない第二の理由は、第二次世界大戦と関係します。戦争中、連合国側は日本の実情を知ることがまことに少なかった。米英側の日本理解は軍国日本はナチス・ドイツのアジア版であるという類推によるもので、その見方が広まり、西洋側が神道と神道神話を日本の超国家主義的ファナティシズムの根源と見做したのは、神道が果たした役割をドイツにおけるアーリア人種の優越というゲルマン神話信仰の役割になぞらえて理解したからでしょう。外国では日本は神道を国教とし、それで天皇はGod-Emperorと呼ばれると説明されました。またそれだから国の為に戦死した日本兵は神として祀られるとも言われました。

しかし日本の神という観念はユダヤ・キリスト教的なゴッドという神の観念とおよそ違うものです。『日本書紀』などに出て来る「現御神(あらひとがみ)」[4]をGod-Emperorと英訳した時にその誤解は始まりました。神道では天照大神をはじめとする八百万(やおよろず)の神や祖先への崇拝はより広い自然の神秘や脅威への崇拝の一部ですが、畏怖、畏敬の念を呼び起こすものはなにであれ「カミ」と呼ばれました。山岳にせよ、滝にせよ、火山にせよ、老木にせよ、只ならぬ人にせよ、崇拝の対象となり神となりました。「カミ」とは語源的に上（カミ）ということで、なにかわれわれよりも上なるものをさしたのでしょう。

アメリカ占領軍のいわゆる「神道指令」について

芭蕉は日光で青葉若葉の日の光に「あらたふと」と畏敬の念を覚えました。日本の普通の人は上なるものにたいして畏敬の念、英語でいう awe の念をおのずからわかちもつことがあります。しかしそのような「畏れ多い」という感情は、熱狂的信念と目される愛国心とは違う。
戦時中のアメリカ側の日本専門家の多くはキリスト教宣教師やその子弟で、中には東京のアメリカン・スクールや神戸のカナディアン・アカデミーで初等・中等教育を受けた人もいましたが、日本人の死をも恐れぬ愛国心の生ずる所以を国家神道とか天皇崇拝に求めたようです。これは連合軍側の宗教顧問にキリスト教聖職者が多くいたから、そのような宗教的解釈に傾いてしまったのではないでしょうか。それとも西洋には歴史を宗教戦争的に捉える歴史解釈の伝統があるからか、詳しい事は解りませんが、戦争が激化するにつれ、天皇崇拝と神道が許すべからざる敵となりました。神道が悪者（わるもの）にされたので、日本の恐るべき超国家主義の根元はそこにあると考えられたのです。

戦争中、連合国側のプロパガンダはその反神道の解釈をアメリカの一般人にもわかりやすいようにさらに単純化しさらに誇張しました。それで、アメリカ空軍のおそらく出先の空襲計画立案者だろうと思いますが、日本の精神的バックボーンを粉砕するために一九四五(昭和二十)年四月十三日から十四日にかけての第二次東京夜間大空襲の際に明治天皇が祀られている明治神宮に対しておびただしい焼夷弾を意図的に投下しそれを焼き払いました。火炎天に沖する様が代々木西原の私の家からも見えました。軍事施設でもない神社を爆撃目標にしたのは文明的行為とはいえない。野蛮そのものです。しかし西部劇でインディアンの祠に白人の騎兵隊が火を放つ程度の感覚だったのではないでしょうか。

アメリカの軍人政治家には交戦国の宗教を尊重せねばならない、などという考えはあまりなかったに違いない。かつてキリスト教化されたフィリピンに親子二代にわたり勤務というか君臨したマッカーサー元帥は、日本を占領するや、敗戦国日本がキリスト教化されることを良しとする考えでしたから、片山哲氏が首相になるや、アジアの三カ国の指導者がことごとくクリスチャンとなったことを祝するメッセージを出したりもいたしました。

巨視的に見て、そんな宗教文明史的な下地があった上での占領政策でした。それだから、日本が二度とアメリカの脅威となることのないように、日本の神社神道を中心とする神道に対しては厳しい措置をとりました。日本のファナティシズムの背骨を骨抜きにしなければならない。それで日本降伏後四カ月、占領軍の指令としてもっとも問題性のある「神道指令」なるものが発せられたのです。一九四五年十二月十五日付のメモランダムで連合軍総司令官は国家神道(神社神道)に対する政府の保証、支援、保全、監督および弘布の廃止を求めたのです。この「神道指令」は日本に対する内面指導としてきわめて有効に作用しました。この指令は明治神宮の本殿はじめその建築物のほとんどすべてを焼き払った焼夷弾よりもはるかに強力で永続的な破壊力を発揮した、といっても過言ではないでしょう。

それというのは占領下はもとより、一九五二年の日本の主権回復以後も、神道は日本ではタブー扱いとされ、とくに知識人は神道に言及することを避けるようになってしまったからです。例をあげると横光利一はかねて川端康成と並び称された高名な作家でした。戦前・戦中・戦後と書き続けた唯一の大作『旅愁』で西洋に対して後進国として立ち向かわねばならなかった日本と先進産業国西洋の間にたちはだかる文明論的な問題をつきつめようとして神道にも言及しました。そのため戦後左翼の評論家から叩かれ失意の中で死にました。新世代はそうした神道などをとりあげた先行世代を排撃することによって戦後論壇の主流となり得た。しかもそれが戦後思潮の正邪を判断する座標軸として日本の思考を規制するようになったのです。
国学院と並んで神道教育の最高機関であった神宮皇学館は廃校とされました。それに対して学問・言論・信仰の自由の弾圧などという抗議はまったく聞かれず、戦前・戦中の日本は皇国史観によって自由な言論空間が圧迫された、ということのみが言われました。

天皇の神格化の否定とは何か

敗戦後とはそのような時代でした。皇室としても日本降伏後の危機的な時期を生きのびて天皇制を維持するためには神道との関係で天皇の立場を明確に述べなければならなくなりました。そもそも昭和天皇御自身は国際協調を重んじた方ですから、ある意味で天皇神話や皇国神話にもっとも悩まされた方でした。軍部は天皇の名前を利用して昭和天皇御自身が望んだのとは異なる方向へ政策を推進したからです。「国体の精華」「惟神(かむながら)の道」「肇国(ちょうこく)の大業」「日本精神」「忠孝一本」……など当時盛んに唱えられた国策の標語には内容空虚な強がりが多くありました。一九四六(昭和二十一)年一月一日の詔書で天皇は天皇の神格ともいうべきものを次のような表現で否定しました。

朕ト爾等国民トノ間ノ紐帯ハ、終始相互ノ信頼ト敬愛トニ依リテ結バレ、単ナル神話ト伝説トニ依リテ生ゼルモノニ非ズ。天皇ヲ以テ現御神トシ、且日本国民ヲ以テ他ノ民族ニ優越セル民族ニシテ、延テ世界ヲ支配スベキ運命ヲ有ストノ架空ナル観念ニ基クモノニ非ズ。

この詔書が出たとき『ニューヨーク・タイムズ』は大きな活字で「神という考えはふっ飛んだ」の見出しをつけました。そして「陛下はご自身が神格化されることも神話化されることも完全に否認した」という趣旨の報道が海外でなされました。日本側ではこの詔書は「天皇の人間宣言」という名で広く喧伝されました。しかし日本人はこの詔勅にさほど驚かなかった。一月五日の日本の英字新聞『ニッポン・タイムズ』には、

「天皇の新年の詔書は日本国内でよりも海外においてさまざまな論評と注目を惹いたかに見受けられる。どうやら驚愕したのは日本人よりも外国人であったらしい」

という皮肉とも取れる社説が出ました。意表をつかれたアメリカの有力週刊誌『タイム』の記者は、すぐさま東京の街頭へ出て道行く人々に質問した。するとその誰しもが、

「天皇陛下が神様でないことは前から知っていた」

と答えた。

「これこそ謎の日本人である」
面喰った記者はついにその旨『タイム』誌一月十四日号に報じました。
西洋側は新聞記者にかぎらず軍人も西洋本位の神概念に基く先入主で考えていたから、ゴッドと人の間には絶対的な相違がある。そう思っていた。それだから天皇の神格否定は大ごとだと推理したのですが、日本では人が死ねば「神去りまして」という。そのいいまわしからもわかるように人とカミの間に絶対的な相違はない。現人神という言葉も人がカミの形となり、カミが人の形となっている姿でしょう。天皇様を神様と崇める気持の人であろうとも、生きている天皇陛下が人間なのは当たり前という感覚が日本人にあったのはきわめて自然だったのではないでしょうか。
繰返しますが、ユダヤ＝キリスト教も、イスラム教も、セム族系統のゴッドは、造り手がいない。死なない。絶対的存在である。それだからリプロデュースされることはない。ところが日本の神さまは人間が死んで神になり祀られる。血縁関係の祖先を祀っているのですからアダムとイヴを天照大御神として祀っているようなものです。

架空ナル観念

戦争中子供であった私は「八紘一宇(はっこういちう)」という言葉を学校で習いました。その意味は「世界のすみずみまでが一つの屋根の下で仲良く暮らす」「人類みな兄弟」という趣旨で「日本国民ヲ以テ他ノ民族ニ優越セル民族ニシテ、延テ世界ヲ支配スベキ運命ヲ有ス」などという人種主義的な主張が教室で教えられたことはありません。プリンストン大学の宗教学のハーデイカー教授は一九八九年になっても「八紘一宇」は Japanese were superior people with a mission to rule the entire world という意味で教えられた、などと書いているから[5]、私は驚いてしまった。それというのも日本国家の主張はヴェルサイユ会議で牧野伸顕代表が主張して以来、人種の平等の実現が外交目標だったからです。しかしこれは日本側のミッション左翼系の偏向した神道論などをもっぱら聞かされたものだから、ハーデイカーもそんな説を述べるようになったので、日本を貶めているのは実は一部の日本人なのかもしれません。

だとすると詔書の英訳にある "the false conception that the Emperor is divine, and that the Japanese people are superior to other races and fated to rule the world." という文章の「架空ナル観念」を日本側は自分たちはもともとそんなことを主張したつもりはありませんよという意味で the false conception といったのだと思います。もちろん国難に際しては君主の神格化が強くなったのは自然であり不可避であったでしょう。しかしだからといって日本人が天皇をユダヤ・キリスト教的な意味でのゴッドと信じ込んだわけではありませんよ、という含意だろうと思います。天皇の人間宣言に際して日本人が平静であったのはそれだからではないでしょうか。

ところで戦争中といえども日本はけっして天皇をゴッドとして神格化していたわけではないと考えていた人はR・H・ブライス（一八九八―一九六四）教授です。教授の示唆を受けて詔勅の有名なこの一節は日本側の手で書かれました。ブライスは、戦争中も日本に踏みとどまった英国人で、俳句の研究で知られた大家です。日本に帰化しようとして手続きを始めたが、日英間で不幸にも戦争になってしまったために敵国人として神戸で抑留されました。この詔勅は、内外の記者たちが推測したのと違い、占領軍の内面指導によって作成され日本側に押し付けられたものではありません。ブライス教授は「貴君がもし小生を日本側にかぞえてくださるならば、すべては日本側から出たものです」と証言しています。

だとすると誰が「架空ナル観念」を抱いたのでしょうか。戦争中の日本人か、それとも戦争中のアメリカ人か。ブライス教授は「日本の天皇はもともと持っておられない divinity を放棄したまでだ」と説明しましたが、誤解を招きやすい God-Emperor という観念は除去した方がいいと考えて天皇が詔勅を出すよう自分の上司の山梨勝之進学習院長に進言したのだと思います。

神道の神とユダヤ・キリスト教のゴッド

神道の神概念とユダヤ・キリスト教のゴッドの概念はどのように違うか。この相違を日本語を解さない西洋人に理解させるには、次の迂回した類推の方が容易な理解の道かと思います。フランスの歴史家フュステル・ド・クーランジュ（一八三〇—一八八九）は彼の主著『古代都市』の「家族の宗教」で「人間を神様にするとは宗教の逆さであると思われる」と書きました。しかしこれは神道を批判した言葉ではありません。フュステルが地中海世界の古代都市の家族中心の信仰制度に言及した際の言葉です。セミティックのキリスト教やユダヤ教やイスラム教などの宗教ではゴッドが人間を創ります。しかし古代ギリシャやローマ社会では日本でと同様、人間を神に祀ります。

では誰が神になるのか。神道の世界でも古代地中海世界でも善人も悪人も神様になります。偉人だけが神様になる特権を賦与されているわけではありません。死者の間に区別はなかった。キケロの言葉に「私たちの祖先はこの世を去った人々はみな神とみなされることを望んだ」と出ています。神となるためには生前とくに有徳である必要はなかった。性悪な人も善人と同様、神になりました。ただし性悪な人は死後も生前に持っていたと同じ性質を持ち続けたとのことです。

神道の復権

第二次世界大戦後の日本人の神道に対する態度はどのようなものだったか。日本人は西洋人が用いだした国家神道と自然神道の区別などは知りませんから、知識人は神道そのものが「神道指令」によって非難されたと思い、神道について言及することを控えるようになりました。本居宣長（一七三〇―一八〇四）や平田篤胤（一七七六―一八四三）のような十八世紀の国学者が惟神（かむながら）の道について述べた書物は禁書になったかのような扱いを受けました。

この点に関してのもっとも率直な告白は、神官の家の出の文芸評論家佐伯彰一（一九二三―二〇一六）が『神道のこころ』（一九八九）の冒頭に書いた思い出です。一九五〇年ガリオア奨学生としてサンフランシスコに到着し身上調書の「宗教」の項目に「神道」と書いてよいものか迷った。もしそう書けば米国入国を許してもらえないのではないか、と感じたというのです。佐伯先生が東大を去るに際して一九八三年、最終講義でその告白をされたとき、私には先生のその気持がよくわかりました。

しかし占領軍当局による厳しい反神道政策とそれが日本知識人に及ぼした過剰反応にもかかわらず、日本の庶民は神社への参拝を止めはしませんでした。アメリカ占領軍の指令には国家神道は括弧して神社神道とあり、皇室尊崇の神社や天皇と皇族と功臣を祀る官幣社に対する国家の財政的援助は打ち切られました。しかしそれでも元旦に明治神宮などに参拝する人の数は増える一方です。それは日本国民が神社参拝を昔からの漠然とした祖先崇拝、自然崇拝の感覚によって行っていることを示していません。天皇や神道を過去の戦争の責任問題と結びつけて考えていないことの証しでもあります。有名な神社は政府の庇護がなくとも栄えています。靖國神社は日本のアーリントンとも呼ぶべき場所ですが、戦死者の慰霊の地でありつづけていますが、それは死者に正邪の区別はなく、その御霊(みたま)が私たちを守ってくださるという信仰の反映ともいえるし、その御霊が靖國神社をも守って下さるので、九段坂の靖國神社はまた次第に多くの参拝者が集まる聖地となりつつあります。

昭和天皇が一九八九年に崩御したとき、国葬には各国の元首や大統領が参列しましたが、その多くはかつての日本の交戦国でした。軍国主義の日本をナチス・ドイツとの類推で断罪したことの誤りに内外の人は次第に気づいたのではないでしょうか。昭和天皇が極東のヒトラーでなかったことはあまりにも明白でした。国葬であるために憲法の政教分離の原則が厳密に適用され、昭和天皇御大喪は大正天皇御大喪の際ほど徹底した神道儀礼は守られませんでしたが、昭和の御代が果てた時に、敗戦直後の危機的な状況とは違って、天皇制という国体が護持され、天皇家がその大祭司である神道が復権していることは明らかでした。宗教としての神道は命脈を保っています。そして忠君愛国教としての天皇崇拝や、民草は天皇の赤子であるといった連合国側のいわゆる「国家神道」の面はすっかり影をひそめています。

アメリカの大統領は、フォード大統領以来、来日する際は明治神宮に参拝します。二〇〇九年二月十七日にはヒラリー・クリントン国務長官は明治神宮の拝殿の前でお祓いも受けました。その際、外人記者の質問に対し長官は「日本の歴史と文化に敬意を表するため」とはっきり答えました。

第二次世界大戦以後の神道の居場所

それでは今日の日本人の日常生活の中で神道が占めている地位はどのようなものでしょうか。日本人自身は神道にたいし必ずしも関心をもっていないようです。伝統的な旧家には神棚が残っています。仏壇もあるでしょう。しかし近年公営住宅として建築される建物には、テレビなど電化製品のための棚は設計されても神棚は予定されていません。以前は田舎には、村には村の鎮守の森があり、お社がありました。その庭でお祭りや踊りは催されました。神社建築は宏大でなくともよかった。しかし社ごとに多くの森林を存し、その中に稀代の大老樹などがあるのがよかった。

今日近代的な団地には住民の遊び場があり、カルチャー・センターなどもありますが、しかし宗教的な設備はありません。これももしかすると神道指令の一結果といえるのかもしれない。神道に限らず宗教施設に公的援助はしてはならないことになっているからです。

また森がなくなってしまった。伊勢神宮でも、周囲の森があるから神々しいので、それがない有様を想像すれば、明治の西洋人日本研究者が酷評したように、内宮も外宮も掘立小屋といわれてしまうでしょう。神殿が神霊化されるのは周囲の太古的森林に基づきます。聖域のこの森や山々、岩屋や川の維持に公的援助はしてはならない、などと言い出されたならば、日本の山水の美は消え失せるでしょう。世の中には「神狩り」をすることが正義であるかのごとき口吻の人がいるが、私はその派の人には与したくありません。

神道と仏教の共存

今日の日本人の多くは自己の宗教的アイデンティティーについて無関心であると前に述べました。ややもすれば無宗教と答える日本人です。神道とは何かと聞かれても「天皇家の宗教である」という程度の答しかできない知識人もいる。もっとも中には「神狩り」にうつつを抜かす人もいます。
しかし他方、神社側は地域を定めて、その地域内の住民を氏子と数えてしまいます。また仏教についても葬式仏教と蔭で言っている。身内の者が亡くなった時だけお坊様に来ていただくからです。信仰心はなくともお寺とは墓地などの関係で御縁がある方は多い。そのような次第で西洋キリスト教徒やイスラム教徒との比較において自己卑下的な見方をする日本人の宗教心は一見希薄ですが、今日の日本は仏教徒の数は約八千七百万、神道の方は九千百万いるともいわれます。外国人は日本の人口は約一億二千万なのに信者数は一億七千八百万と驚きますが、これは日本では神様に柏手を打って拝むが、同じ人が仏様に手を合わせて合掌するからで、その宗教風俗が排他的な一神教の国と違うからです。しかし今あげた数字はお寺さんやお宮さんが申告した檀家や氏子の数ですから、どこまで信用してよいかわかりかねます。しかし八百万(やおよろず)の神の神道が一神教的な創造神をいただかないだけに、嫉妬深い排他的な性格からはほど遠いことはわかるかと思います。
またそのような性格ゆえに神道は宗教とは言えないと明治の第一世代の西洋人日本研究者のある者は指摘しました。それは宗教というものの定義によるのですが、そして二十世紀初頭、日本人側にも反対意見はあったにもかかわらず、日本政府も神道非宗教説を採りました。それだから小学校の先生が生徒全員を神社の参拝に連れて行くことは、市民的な儀礼である以上、許されることと考えたのです。日本のキリスト者の多くも当時は異を唱えませんでした。

また当初は神道を必ずしも宗教と認めなかったチェンバレンでしたが、日本が自分たちの期待していたのとは違う軍事大国化路線を進み始め、天皇崇拝や武士道が唱えられるに及んで、それを「新宗教の発明」と呼び、西洋人宣教師のある者も日本政府が全児童に宮城遥拝や天皇の御真影に対する拝礼を命ずるや、それを天皇の神格化であり国家神道であると批判し始めたことはすでに述べました。

神道に対するシニカルな批評

「本来我輩は宗教心に乏しくして、曽てみずから信じたることとなし」とは福沢諭吉の言葉ですが、今の日本にもこのような口の利き方をする人は大勢います。大晦日の夜半過ぎから神社へ参拝に出かける若者を揶揄して「元旦は何もすることがないから、若い人は晴着を来て出掛けるまでで、日曜日にパリの男女がおめかししてシャンゼリゼーへ散歩に出るのと大差はない」などと批評なさいます。また正月に遠く伊勢の神宮や鎌倉の八幡様にお詣りに行く人は観光を楽しんでいる、あれはレジャーだとその無宗教性を強調なさいます。その指摘には真実も含まれていいましょうが、しかし社頭でお賽銭を投げて祈るからには、その参拝の行為はやはり宗教的と呼ぶべきではないでしょうか。お伊勢参りを物見遊山と呼ぶのなら、ローマやサンチャゴやカンタベリーやメッカへの敬虔な巡礼にも観光の要素のあることを指摘しなければならないでしょう。
今日の日本人に宗教心が乏しいとはよくいわれる批判で、一日に五回メッカの方角へ跪拝するイスラム教徒と比べられたりしますが、しかし宗教心の測り方にはいろいろな尺度があるのです。たとえばお墓参りの回数で測ると日本人は宗教心に富める国民といえるのです。なお墓の宗教的意味については後でフュステル・ド・クーランジュの観察との関係でまた述べます。

日本社会の世俗化

日本人の多くは、一つには自分がよほど熱心な信者でないと、無宗教と答えがちです。これは徳川時代以来、日本の社会の世俗化が進んだからという面もありましょう。自分の宗教について積極的に肯定的な返事はしないきらいがあるのです。日本人の多くはこちこちの熱心な宗教家とは距離を置きたい。信心にこりかたまった存在は時には迷惑だと思っている。その証拠に熱心に自己の信仰を説く信者さんを〈わが仏尊し〉といって蔭で揶揄します。他の一神教世界にも「こりかたまった信心」をさすbigoterieという言葉はありますが、英語に「あの人〈わがキリスト尊し〉

ね」とか、ましてやアラビア語に「あの人〈わがマホメット尊し〉ね」などと開祖の名前をあげて揶揄する言葉はないのではないでしょうか。イスラム世界で〈わがアラー尊し〉などと揶揄すれば只事ではすまないのではないでしょうか。日本でいつごろから〈わが仏尊し〉という穏かに諭す言葉が言い出されたか定かでありませんが、こうした言葉があることは、日本が宗教上の一方的な声高な主張をたしなめる考え方、宗教や思想については寛容を良しとする社会風俗があることを示唆しています。それもあって神社に祈願し、お賽銭を出す人であっても「自分は神道家である」と積極的に名乗る人は少ない。それでも神社に通りかかれば手を打って頭をさげます。

日本人の意識下に眠る神道

戦争中の単純化されたプロパガンダによって国家神道が日本人の宗教だと思い込んでいる西洋人の中には、日本人のこの宗教への無頓着に戸惑う人もいることでしょう。宗教に対するこの投げやりな態度は日本の都市社会の世俗化の度合いを指し示すものでしょうか。それとも神道に対するこの無関心はアメリカ占領軍の洗脳政策が成功したせいでしょうか。私はそうとは思いません。

今日、日本では学生にかぎらず社会人も神道よりもキリスト教について学習する機会の方がはるかに多い。しかし私見では神道の力は、教えられようが教えられまいが、神道的感受性が多くの日本人の中に生きている、という点にひそんでいると思います。その神道的感情はこの土地に育つ人々の間で無意識裡に広くわかち持たれていて、その畏敬の情に日本人は目覚める時があるのです。元日に朝日を眺める時、新幹線の窓から富士山が見えた時、天皇家が万世一系で続いている、そこに民族の永生を感じる、などの時がそうです。内藤鳴雪(一八四七―一九二六)の俳句に日本人の多数がわかちもつ神道的感情を示唆した一句があります。

元日や一系の天子不二の山

というのです。プライス教授はこう英語に訳しました。

The First Day of the Year:
One line of Emperors;
Mount Fuji.

しかしこの英訳を読んでも、これまでの生活体験が異なる外国の方の多くは日本人と同じ感情を共有することは難しいかもしれません。しかし日本人が繰り返し眺めることを楽しむＮＨＫアーカイヴズのドキュメンタリー作品が伊勢神宮の神域や明治神宮の森であることは、日本人の神道的感受性が広くわかかちもたれているからでしょう。そのテレビは外国人の視聴者も喜んで御覧になるのではないでしょうか。

人の心の中に半ば眠っている宗教的感情は、深く根ざしたなにかです。それが人生の大事な瞬間に目覚める。神道は時の流れと結びついている宗教感情で、季節の命の営みの宗教でもあるのです。他の宗教とも共存できる性質のものです。俳句の歳時記で神道の句が新年に多いのはその証左といえましょう。

二　ラフカディオ・ハーンの神道解釈

十九世紀西洋人の神道観

明治時代の西洋の日本研究はイギリスが中心で、西洋の日本研究の大御所はバジル・ホール・チェンバレン(Basil Hall Chamberlain)といいました。その人の日本研究の代表作は『日本事物誌』

Things Japanese ですが、神道についていかにも小馬鹿にするようにこう述べた。これは前にも引きましたが、

神道は、しばしば宗教と見做されるが、ほとんど宗教の名に値しない。日本で神道を愛国心涵養の制度として維持しようとしている当局者でさえそう言っている。神道にはまとまった教義もなければ、聖書経典の類もなく、道徳規範も欠いている。……人々の心を動かすにはあまりに空虚であり、あまりに実質に乏しかった。仏教に比べて神道はそれ自体の中に深い根を持つものではなかったのである。

これはチェンバレンだけでなく駐日公使パークスとか宣教師ブラウンとかヘボンとかサトウとか明治初年の在日英米人の共通の意見でもあり、神道は文明開化が進むとともに消滅すると予測されました。日本側でも渋沢栄一とか福沢諭吉とか代表的啓蒙知識人は日本人の迷信をひどく恥ずかしがりましたが、それと同様に彼らも神道に対してきわめて冷淡でした。中には迷信と同様に思い、恥じていた人もいただろうと思います。ウィリアム・ジョージ・アストンは西洋人ではじめて神道についてまとまった大著をものした人ですが、明治三十八年、こう述べています。

世界の大宗教と比較すると日本の古いカミ信仰である神道は、その性質において決定的に初期段階の宗教である。多神教であって、唯一の至上神は存在しない。神々の像やイメージも比較的に乏しく、道徳規範も比較的に欠けている。神道では神々を具体的に擬人化する度合いが弱く、霊の概念の把握もさだかでない。死後の将来の状態を実際的には認めていない。また深い、真剣な信仰が一般的に欠如している。そうしたことすべてを勘案すると、文献の記録がかなり残されている宗教の中でおそらく神道はもっとも未発達のままの宗教といってよいであろう。

このアストンの著書は「神道の衰退」が最終章ですが「国民宗教としての神道はまさに死滅寸前にある」と出ています。

ラフカディオ・ハーンとはいかなる人か

このような西洋日本学の大家たちの見立ての中でその見方に反対して神道の重要性を説いたのがハーンです。

ハーンは一八九〇年代に「極東」に来た西洋人日本観察者の中で、西洋のキリスト教的文明の優位性を自明のこととして考えなかった、真に珍しい人でした。例えばハーンは、社会の下層の普通の庶民にとっては「恐怖からの自由」という基本的人権は、ヨーロッパの首府やアメリカの大都市よりも日本の貧民窟での方がより良く守られている、とすぐに気づきました。西洋のそうした面も知悉していたから、上から日本を見下ろしていたチェンバレンと別様の見方をするようになったのかもしれません。

ハーンはチェンバレンと同じ一八五〇年生まれ。ギリシャの島に駐屯していたイギリス軍のプロテスタント系アイルランド人の軍医と島の娘の間に生まれました。当時のギリシャの女は良い家の出でも読み書きができず、ギリシャ正教の教会で結婚式は挙げたが、結婚証書に署名できなかった。戦争花嫁はアイルランドの生活に馴染めない。するとハーンの父は証書の無署名を楯に結婚無効を訴え出てハーンの母と別れて母をギリシャへ帰してしまった。ハーンはダブリンで育ちましたが、四歳の時に別れた瞼の母が恋しくて生涯父を憎んだ。父は再婚し、ハーンは大叔母が面倒を見たが、彼が十六歳のときその大叔母が破産し、ハーンはロンドンでどん底の生活を味わい、文無しでアメリカへ十九歳で移民、まずシンシナーティ、ついでニューオーリーンズで下から這い上がってひとかどの新聞記者となります。とくにカリブ海のフランス領西インド諸島のルポルタージュで文名をあげ、それで三十九歳、日本へ送られて明治二十三年に横浜に着いて、日本紀行や物語を書いて世界的に名を知られました。チェンバレンは『日本事物誌』の第六版(一九三九年)に「ラフカディオ・ハーン」という項目を立て、やや意地悪な書き方でハーンの生涯を紹介しています(英語版にはそれを載せました)。

ハーンの日本研究が成功したのは来日以前にフランス領西インド諸島で二年近く生活した。そのときに体験して身に着けた調査手法を日本でもまた生かしたからうまくいった。カリブ海のマルティニーク島ではアフリカから連れて来られた黒人奴隷の子孫は、フランス人宣教師に言わせると、全員カトリックに改宗したことになっていました。ところがハーンがクレオール語という彼らの崩れたフランス語を習って聞きだしてみると、黒人たちはお化けを信じている。ハーンは彼らからそんな魑魅魍魎(ちみもうりょう)の世界の怪談を聞きだすことに成功した。マルティニークの人の霊の世界 ghostly world と彼らの怪談 ghost stories を採集することに成功したのです。それで後から来た大宗教はその土地の固有の宗教をそうやすやすと根扱(ねこ)ぎに出来ないということがわかった。それが決定的に大事な発見でした。それでハーンは日本でも日本人の霊の世界にはいりこみ、土地の怪談を採集し、それを芸術作品に仕立てようと思って来日した。

ハーンは来日以前にチェンバレンが英訳した『古事記』を丁寧に読みました。日本の古代の神々が出ている。多神教で古代ギリシャに似た宗教文化が十九世紀の日本には残っている。そんな日本なら後から来た大宗教である仏教が大和島根に固有の宗教である神道をそうたやすく根扱ぎに出来ないだろう、また文明開化して西洋化しても神道は残るであろう、と予想を立ててハーンは来日した。一八九〇年鉄道は新橋から姫路まで。そこから先は人力車で中国山脈を越えて山陰へ向った。老樹に注連縄がまいてある。御神木に御幣が飾ってある。実り始めた稲穂の上に白羽の祈願の矢がさしてある。出雲に近づくにつれお寺の数が減りお宮のたたずまいが立派になる。陰暦の十月を俗信では神様がいなくなるから、それで神無月と言うが、それは出雲に八百万の神が集まるからで、出雲では神在月という。そんな話を聴いてハーンはぞくぞくしました。島根への旅はかくて神道発見の旅となりました。マルティニーク島と同じように松江でも日本人の霊魂の世界を探りたいと思った。

わかりはじめたきっかけはお盆でした。この宗教行事から日本人の死者に対する感じ方を了解するようになった。ハーンは ghostly Japan 霊の日本をとらえたたぐいまれな外国人として紀行文を書き、文芸作品としては『怪談』など ghost story を書いた。皆さんが《耳なし芳一》とか《雪女》をご存じなのはハーンが妻節子からその話を聴いて英語に retold story として書いたから、そしてそれがまた日本語に訳しなおされたからであります。

ハーンの日本へのアプローチ

明治神宮国際神道文化研究所は機関誌『神園』を出していますが、その平成二十九年五月に出た第十七号にケンブリッジを出たモード・ローウェル（Maud Rowell）という方の《Ten Days in the Land of *Kami*》という体験記が出ています。神道は日本人の心理の組織そのものを構成している糸によって紡がれている、と彼女は述べました。[6] その通りかと思いますが、問題の核心は彼女がそう感じたことをいかにして合理的な言葉で説得的に立証してみせるかということでしょう。

実はいまから百年前にラフカディオ・ハーンも同じような意見でした。それだからハーンは明治三十年代当時の著名な西洋日本学者すべてと正反対の考えをしていた。ハーンは《生神様》の中ではこう述べています。

何千年もの長きにわたって何百万という人々がこうした社の前で……崇拝してきたのだ。こうした信仰を不合理ときめつけ馬鹿にすることがいかに難しいか。神社の社頭に立てば、恭しい表敬の態度を誰しもとらずにいられない。その信仰が身辺に空気のごとく揺れ動く時、大気が私たちの肉体に圧力を加えるのと同様、その信仰が私たちの精神に圧力を加えていることを私たちは意識せずにはいられない。

この指摘は信仰がいかにして集団にひろがるか、その機微を伝える言葉ではないかと思います。千数百年以前に仏教が伝教されても神道は日本に残った。その際、神道は仏教化したが、日本で仏教も神道化した、そのことをいちはやくさとい目で観察したのもハーンです。そんな習合現象を起こしているのだとすれば十九世紀に始まった文明開化の西洋化運動が熱を帯びているとはいえ、日本では神道は生きのびるであろう、と予見したのです。

ハーンの基本的な確信はフランス領西インド諸島での二年間の滞在の体験によって早くから形成されました。ハーンは民俗学や文化人類学が学問として成立した最初期の世代に属する人で、現地の住民の中に見事にとけこんで暮らすことに成功しました。語学の才が抜群で、マルティニークの黒人の崩れたフランス語であるクレオール語を習った。島の女たちと密接な関係を結んでいたのではないかと思います。それで以前は奴隷であった人たちの子孫からクレオール語で語られる民話やら民俗伝承やらの収集に成功した。こうしてハーンは原住民の生活の参与観察者として、西洋人として初めて彼らの霊の世界を発見しそれを記録した。フランス人の白人宣教師たちはマルティニーク島の黒人住人をすべてカトリック教に改宗させたと得意気でしたが、しかしハーンが島で発見した「亡霊」の世界はキリスト教からはほど遠いお化けに取りつかれた霊の世界でした。こうして『フランス領西インド諸島の二年間』の作者として名を成したハーンは、その成功のおかげで一八九〇年には同様の手法を遥かな新天地でも試みるべく来日して僻遠の松江におもむいた。神々の国の首都、神道の根強い出雲へ行ったのです。彼に渡航費用を払ったハーパー社に対してハーンは「自分の狙いは読者の心に日本で暮らしているという生き生きした印象を与えること、単なる観察者でなくて、日本の庶民の日常生活に溶け込んだ人として彼らの考え方で考えているという印象を与えたい」と述べました。

ハーンと死者の世界への関心

ハーンは来日以前、日本について書かれた英文仏文の目ぼしい著書に丁寧に目を通し、とくにチェンバレンが英訳した『古事記』は精読しました。

ハーンの神道の国、日本に対する関心はきわめてオーソドックスでした。ただしフランス語が崩れたクレオール語が覚えやすかったのに比べて、日本語は習得が難しかった。それでハーンはチェンバレンのように言語的なフィロロジカルなアプローチはよかれあしかれできなかった。そうはいってもハーン作品の中にちりばめられている日本語はおおむね正確です。これは日本人の助けを借りてきちんとチェックしたからでしょう。

フランス領西インド諸島でしたと同じように、第一に紀行文を書きました。その中でハーンは日本の生者の世界についても死者の世界についても書きました。著書の一冊は『霊の日本』と題されている。日本についての第一作『知られぬ日本の面影』は民俗学的観察の宝庫です。柳田国男の日本民俗学はハーンの刺戟を受けて始まった学問分野といってもいい。キリスト教宣教師たちは日本の土着の宗教に対して敵対的でしたが、ハーンは迷信にいたるまで共感的に理解しようとつとめました。たとえば《盆踊り》の章の初めの節では「いたるところにやさしい信仰のしるしが見える。……いや、時には、風景そのものが、心やさしい信仰によって形づくられたかとさえ思われる」と書いています。これは信仰と風土の相互関係について、信仰は風景によって形づくられる面があることを、そしてそれとは逆方向への作用もまたあることを言ったのです。ハーンは来日西洋人の中で出雲地方に神道の生きている徴(しるし)をいちはやく認めた人でした。彼は松江で十四カ月半過しただけですが、明治時代の地方都市とその周辺をハーンほど詳細、かつ正確に、しかも見事に書いた人は日本人にも居りません。

ハーンはフランス領西インド諸島でしたと同じように、第二にその土地で民話や口碑を集めました。それを後に『怪談』などの作品に再話したのです。しかしハーンの日本人の霊の世界に対する関心はそのような民俗学や文学の次元で止まらなかった。ハーンは第三に日本人の死者の世界を探り、それを社会学的に説明することで、日本を宗教的次元から解釈しようとした。第一、第二の次元と違って、この第三の学問的次元の仕事の際は日本語ができなかったことがハンディキャップとなりはしましたが、しかしそれにもかかわらずきわめて多くの貴重な指摘も書いている。

ここでいえることは千八百九十年代、ハーンは日本の土着のアニミスティックな宗教である神道の重要性に気が付いた唯一人の西洋人だったということで、ハーン自身もそのことを自覚していた。ハーンは遺著となる『日本、一つの解明』の日本理解の難しさにふれた第一章にこう書いています。

これまで日本の宗教についてはもっぱらこの宗教を目の仇にする人々の手によって論が書かれてきた。それ以外の人は神道を無視するか、妙に誤解した論を述べるにとどまった。それでは日本の本当のことは知り得ない。……日本人の信仰を理解し得、それに共感を抱き得る学者が出てこない限りは、日本文学の正確な理解もあり得ないであろう。西洋の偉大な人文学者がエウリピデスやピンダロスやテオクリトスを理解し得たのは彼らの宗教をも共感的に理解し得たからだということを忘れてはならない。

ハーンはマルティニークでの先行体験のお蔭で、後来の宗教や文明の影響結果を誇大視してはならぬことを承知していました。十四年間の日本滞在の後、ハーンは『日本、一つの解明』の第二章にこう書いています。

日本文明というのはよほど特殊なもので、西洋にはそれに相応する例はないであろう。外来文明が次々に渡来してごく単純な土着の信仰の上に重なって層を形成し、その複雑さは驚嘆すべきほどである。この外来の文化の大半は中国渡来であるが、この日本とは何かという肝心の主題を研究する際には間接的な関係しか持ちえない。驚くべくも奇妙な事実は、これらの多層がその上に重なったにもかかわらず、日本人のもともとの性格やその社会の元からの性格はいまなお昔のまま残っていて、それとわかる、という点である。

日本は千数百年の長きにわたり中国文明の影響下にあったが、それでいて日本がその巨大な大陸の隣国といかにも違っているというのは明白な事実です。だとすれば日本が百数十年間の西洋文明の影響下でその固有の性格を相当程度保持しているのもまた当然かもしれません。時代錯誤のように見えましたが、ハーンは、言語的な記録に留められた世界の諸宗教の中でもっとも発達の程度が低いとみなされた神道に対し、十四年間の日本生活を通して、注意を払い続けていました。

それでは日本の面影を垣間見た glimpse だなどと遠慮がちに述べていますが、ハーンはどうやって洞察力にみちた社会学的・宗教学的な日本観察を行ない得たのか。いかなる書斎での書籍的知見ないしは現場での個人的体験に基いて日本人の霊の世界に共感的にはいりこむことを得たのか。

根本はマルティニークでの体験で、土着の信仰の上に後来の信仰が重なろうとも、前者が全く消されてしまうことはないという確信がそれで得られたからですが、そのほかにさらに二つ日本解釈の可能性があった。一つは神道は古代ギリシャの多神教に似るとするギリシャ的な解釈。もう一つはアイルランド的解釈です。

ギリシャ的解釈

ハーンは母親がギリシャ人でギリシャ的なものに憧れた。それもあってでしょうが、日本についてギリシャ的解釈を進んで受け入れた。パトリック・ラフカディオ・ハーンは子供の頃ファースト・ネームのパトリックで呼ばれました。父親はプロテスタント系アイルランド人でしたから、アイルランドの守護聖人の名に因んでそう呼ばれた。しかし彼は自分のギリシャ人の母につれなかったアイルランド人の父が嫌いだった。この父が自分の数々の不幸悲惨の原因となったと思っていたからです。それで二十代の頃にパトリックといわなくなった。そうした不幸な崩壊家庭の事情を考えあわせるならば、ハーンが自分の父方の背景を抹消したがった気持はわからないでもありません。ヴィクトリア女王陛下の連隊の軍医将校であった父親や、そんな父親によって代表される体制のすべてのものに対し、ハーンが強烈な反感を抱いていたことは心理的にうなずけないことではありません。自分の中にある良い性質はすべて母方から来ていると信じました。

そのハーンはカトリックの大叔母に育てられたが、早く信仰を失った。そしてギリシャ語知識は乏しかったが、それでもギリシャ的なものを偏愛した。出雲の松江という神道の神々の国の首都に着くや、多神教の日本をキリスト教以前の古代地中海世界と比較し始めた。『日本、一つの解明』の最初に、日本を「不完全な文明と定義するようなことは三千年前のギリシャ文明を不完全と呼ぶとするならば許されよう」と言っています。十九世紀の後半に育った多くの人と同様、ハーンも歴史は直線的に発展すると信じていた。各国民の発展進化の法則性を信じていた人としてイントロダクションの章にこんなことを書いている。一言でいうと、ハーンは十九世紀の日本はキリスト教化される以前の古代地中海の多神教の状態にあると思った。

滅びた古代ギリシャ文明が蘇えり、ピタゴラスの学寮があったクロトーナを歩き、テオクリトスがいた頃のシラクーザを逍遥する。そうしたことが実際にできたら大した特権だと思うだろうが、いま現実に私どもに与えられている日本を研究するというこの機会は、まさにそれに相当する。いや、それ以上である。進化論的見地からいえば、これは特権ではない。日本が提供しているこの諸相の生きた光景は、私たちが古代ギリシャ美術や古代ギリシャ文学を通して密接に知り得るギリシャ文明のいかなる時代よりも、さらに古く、心理的にさらに遠いものである。

ハーンはキリスト教化される以前の古代ギリシャ世界と十九世紀の日本をパラレルに並べて、同じような段階にあるとする見方に惹かれた。

最盛期の古代ギリシャ文明は社会学的進化の初期段階に到達した程度であったが、それでもその時に展開された諸芸術は美の最高の理想であり、今日誰も凌駕できない。それと同様、古代ギリシャよりもさらに古風な古き日本の文明は、平均値として、われわれ西洋人の驚嘆と讃美に値する美的・道徳的文化の水準に達している。このような文化の最良なるものを劣等と呼ぶ人は、その本人が浅薄、それもよほど頭脳浅薄でなければ、呼べないはずである。

フュステル・ド・クーランジュの『古代都市』

ハーンの伝記作者の多くはハーンがハーバート・スペンサーの感化を浴びたといいますが、この英国の哲学者に劣らず大切な存在はフュステル・ド・クーランジュ（一八三〇―一八八九）でした。一八六四年に『古代都市』*La Cité Antique* を出し名著として聞こえました。古代都市とは狭義にはキリスト教以前の地中海周辺の都市国家のことです。ハーンはすでにアメリカ時代にこのフランスの歴史家の名著とされた『古代都市』を読み、一八八九年に出した最初の小説『チータ』のなかにクーランジュという名前を用いています。熊本時代に読み直した。そしてチェンバレン宛の一八九三年六月十日付の手紙にこう書いている。

ところでフュステル・ド・クーランジュの『古代都市』はもうお読みになりましたか。お読みになられたと思います。私はいま二度目ですがまた読み直し、古代のインド・アーリア系の家族、家族の崇拝、信仰などと日本のそれらとの奇妙なまでに不思議な並行関係について調べています。ある点でこのパラレルは驚嘆するほど似通っています。

チェンバレンがまだ読んでいないと知って、ハーンは自分の本をチェンバレンに贈呈した。そして東京時代にアシェット社から出た一八九八年刊の本をまた買い求めた。そしてアンダーラインを引きつつ実に綿密に読んだ。ハーンの関心が奈辺にあるかそれでわかります。ハーンは晩年にアメリカのコーネル大学へ招かれて日本について講演するよう依頼されたとき、フュステル・ド・クーランジュが記述したキリスト教化される以前の地中海世界の古代都市の信仰や家族を応用して日本社会を説明しようとした。コーネル大学への招待は実現しませんでしたが、その講義の為に準備した原稿が遺著『日本、一つの解明』となりました。

創造と自生

問題の出発点はどこにあるのか。

西洋と日本の最大の違いは、日本はキリスト教国ではなかった。キリスト教の西洋と神道の日本と何が違うか。西洋人はその違いをほとんど知りませんが、実は日本人も必ずしも知らない。それというのは同じ神という言葉を使うために、キリスト教やユダヤ教やイスラム教などいわゆるセミティックの宗教の神と日本人の神はどう違うか、日本人にも見当がつきにくくなっている。違いは前者では神が人間を創るが、この被造物である人間は死んだ後も神様にならない。ところが私たち日本人の間では、松陰神社、東郷神社、そしてこの明治神宮があることからも明らかなように、人間が死んで神様になる可能性がある。（その可能性が「神道指令」や「人間宣言」によって絶たれたと見るべきでしょうか）。日本人の皆さまは英語を習いだしたころ被造物 creature という言葉が人間をさすと聞いて妙な感じを持たれたことがおありではありませんか。日本人の多くは、キリスト教信者といわれる方の多くをも含めて、人間は創造主によって創られた create されたという感覚をもちあわせていないというのが正直なところでしょう。人間というか動植物は自然発生した generate したものと漠然と感じている。日本のように天候が湿潤(しつじゅん)なモンスーン地域では黴(かび)が生えるように、雑草が生えるように、生命あるものも自生するので、その感覚は『古事記』の冒頭によく出ています。「国稚(わか)く浮きし脂(あぶら)の如くして、海月(くらげ)なす漂へる時、葦牙(あしかび)の如く萌(も)え騰(あが)る物によりて成れる神」。英語で言うと西洋の天地創造はクリエーションですが日本では天地自生でジェネレーションです。

ところが西洋ではゴッドの被造物である人間はゴッドにならない。それもあってフュステル・ド・クーランジュは『古代都市』の第一篇第四章《家族の宗教》で、

Faire de l'homme un dieu nous semble le contre-pied de la religion
人間を神様にするとは宗教の逆さであると思われる。

と書いた。しかしこれは神道を批判した言葉ではない。古代のローマ人の宗教について近代フランスの歴史家が述べた言葉です。

死者は善悪によって区別しない

では人間が死んで神様となるのだとして、一体どんな人間が神様になるのか。神道の世界では偉人だけが神様になる特権を賦与（ふよ）されているわけではない。国学者本居宣長は『直毘霊（なおびのみたま）』で善き神もあり悪しき神も有ることにこうふれています。

善神もありあしき神も有りて、心も所行（シワザ）も然（シカ）ある物なれば、……堪（タヘ）たるかぎり美好物（ウマキモノ）さはに

> たてまつり。あるは琴ひき笛ふき、うたひまひなど、おもしろきわざをしてまつる。これみな神代の古事（フルコト）にて、神のよろこび給ふわざ也。

古代のギリシャ・ローマ人も同じでした。フュステル・ド・クーランジュは『古代都市』の第一篇《古代人の信仰》の第二章《死者崇拝》でこう述べています。地中海世界でも善人も悪人も死んだら神様として祀（まつ）ったというのです。

> この種の神格化はなにも偉人の特権ではなかった。人は死者を区別したりしなかった。キケロは言っている、「私たちの祖先はこの世を去った人々はみな神としてみなされることを望んだ。」神となるためには生前とくに有徳である必要はなかった。性悪（しょうわる）な人も善人とまったく同様、神になった。ただし性悪な人は死後も生前に持っていたと同じ性質を持ち続けたのである。

神道も死者を区別したりはしません。平田篤胤は『玉襷』十の巻で、[7] 霊魂は死後どこにいるかについて、すべての人間の霊魂と云ふものは、千代常磐につくる事なく、消る事なく、墓所にもあれ、祭屋にもあれ、其祭る処に、きつと居る事ぞ。……或は其家に就て、功績ありし家臣等に至る迄も、凡て其祭屋の内に祭りたる霊等は、漏れず落ず。……

と彼なりの考え方を述べました。

フュステル・ド・クーランジュの『古代都市』を読んでいると、本居や平田の書くものと似ているので、なんだか神道の死生観の説明を聞いているような気がします。古代地中海世界の人々の祖先崇拝についてフュステルはなんと言ったか。第一篇第四章《家族の宗教》を見てみます。

このようにして祖先は自分の家の家族の者の間に残っている。目にこそ見えないがそこに居ることに変りはない。祖先は家族の一部と成り、その父でもある。永遠に不死なる、幸深き神として、先祖は地上に遺してきた生者たちの運命に関心を寄せる。彼は人々がなにを必要とするかを知悉(ちしつ)し、人々が困った時、手助けをする。また一方まだ生きている人々、働いている人々、古代からのいいならわしに従えば、まだこの世を了えていない人々は、その祖先を自分の頼みとして導き手と仰ぐ。祖先は自分の父や自分の父の父であるのだ。困難に直面した時、生者は祖先の智恵にすがり、悲嘆の底にあっては祖先に慰藉（いしゃ）を求め、危機に際しては助けを、誤ちを犯した時は赦（ゆる）しを求める。

最初の文章は「このようにして祖先は自分の家の家族の者の間に残っていた」と動詞は半過去形ですが、あまりに神道の事に似ているから、私は現在形に訳したい気持にかられます。

神道の感覚について知りたい人にはこうした一節を読んでもらう方が下手なフランス語で新しく神道について説明するよりよほどましだろうと思うほどです。皆さまここに書かれていることは現代の日本人のご先祖様に対する感覚にも近いものとお感じになりませんか。私たちの多くは神道の感化を浴びた仏教徒ですが、皆さまいかがお感じでいらっしゃいますか。

墓についての考え方

先に述べたように、日本人は無宗教だとよくいいますが、宗教的か宗教的でないかは何を尺度に測るかによって変ります。両親の墓へお参りに行くという度数で宗教心を測ると日本人は実はたいへん宗教的であるともいえるのです。それで古代ローマ人の墓にまつわる考え方をここに引用してまずご参考に供します。フュステル・ド・クーランジュは『古代都市』の第一篇《古代人の信仰》第一章《霊魂と死にまつわる考え方》でこう述べます。

かつて墓の上に「誰それはここに憩う」と刻まれた。このような言いまわしは生きのびて、死んだ人は墓の中で生き続けるという信仰がすたれた後も、何世紀も経て十九世紀中葉の私たちフランス人にまでも及んでいる。そして実際に私たちは今でも墓を誰それの安息の場所といい、不死不滅の人間が墓の中で休息しているとは今日誰も信じていないにもかかわらず、そうしたいいまわし――故人に対して「ゆっくりとおやすみください」というお別れのご挨拶などを用いる。しかし古代においては人間は死者は墓の中で生き続けると確信していたからこそ必要と思われる品々、衣類、壺、武器などを必ずともに埋葬したのである。故人が渇きを覚えぬよう墓に葡萄酒を灌いだのだし、餓えを覚えぬよう墓に食べものをお供えしたのである。

父の代から平川家の墓は小平霊園にありますが、お彼岸などに行くとみなさんよくお花を供えてきれいにしてある。故人が御酒が好きであったりすると、酒やビールの缶が供えてある。中国でも墓に酒を灌ぐ風習はあり灌奠といいますが、これらは別に死者が墓の中で生きているからというのではなくて、故人の思い出のために酒をお供えするのでしょう。しかし今日のキリスト教国の墓地には花のお供えはありますが、食物やお酒のお供えはありません。
フュステル・ド・クーランジュは墓が持ちうる意味についてそれに引続きさらにこう記述しました。古代人は死後の霊魂の存在を強く信じていたというのです。

> 墓のない霊魂は住むべき場所がない。そんな魂はさまよい出す。現世での労働と騒動のあとで魂は安息を求めてやまないが、平安は得られない。魂は、立ち止まることなく、自分が欲しくてたまらぬお供物も食物も得られずに、亡霊（ぼうれい）や怨霊（おんりょう）の姿をして、とこしえにさまよい続けなければならない。不幸な魂はやがて悪事を働くようになる。不幸な霊魂は生きている人間を苦しめる。生者に悪疫（あくえき）をはやらせ、取り入れを台無しにし、夜な夜な恐ろしい姿をしてあらわれては、自分の体と魂にきちんとした埋葬がなされることを求める。そうしたことがあったがために世間は亡霊が現世に戻って来ると信ずるようになったのである。

死者について「この人たちは現世から去った人なのだから、神様として大事になさい」というおさとしなどなにか日本人が話しているようです。本居宣長や平田篤胤が言ったとしてもおかしくない。日本では亡くなることを丁寧にいうとき「神去ります」ともいいました。しかし、「この人たちは現世から去った人なのだから、神様として大事になさい」

Ce sont des hommes qui ont quitté la vie. Tenez-les pour des êtres divins.

と言ったのは西暦紀元前一〇四年から四四年にかけて生きたキケロで、このフランス語の元のラテン語は *De legibus* にあるのだそうです。この言葉は私などの耳にはごく自然にひびきますが、しかしキリスト教化された後の西洋人にはどうやら異に響くらしい。それでフュステル・ド・クーランジュはかなりきつい口調でこういった。

今日私たちは人間が自分の父親や祖先を崇敬（すうけい）できたなどとははなはだ理解に苦しむ。人間を神様にするとは宗教の逆さのように思える。

日本人は祖先崇拝が主流ですが、唯一神を崇拝すべきで祖先崇拝をしてはならないというキリスト教世界で育ったフュステル・ド・クーランジュは、本人がもはやキリスト教は信じておらずとも、それでも自分の父親や祖先を崇敬するなどとはあり得べからざることだ、宗教に悖（もと）ることだ、と言わんばかりの口調で述べました。キリスト教やイスラム教やユダヤ教の神の特徴は非祖先神です。その神は創造主であるが血縁的に自分たちにつながっているわけではない。しかし日本人は天皇家をはじめ多くの人が天照大神を祖先神として尊んでいる。歴代の首相は伊勢神宮に参拝に行く。祖先神を漠然と信じている。それが神道ですからキケロの言葉にむしろ共感する。西洋人は創造主と人間の間には断絶があるから、日本人が人間である天皇を現人神God-Emperorとして崇拝し、また戦死した勇士を軍神として祭ると、交戦国としての、敵国としての政治的反撥以前に、宗教文化的な違和感をすでに覚えたのではないでしょうか。

『古代都市』が明治日本の法学者に非常なインパクトを与えたのは、そこに描かれているキリスト教以前の地中海世界の死者に対する感情や祖先崇拝の気持がいかにも日本人の感情や気持にそっくりで、心打たれたからです。故人を偲ぶの情、埋葬の意味、霊魂についての考え方、人は死んで神になるという考え、祖先の墓を大事に守らなければならぬとする家族の義務、その家族の断絶をおそれ家を大切にする気持、お燈明や竈の火、お墓へのお供え、亡霊、怨霊、祟り、などについて書かれている。――『古代都市』で日本人が感銘を受けるのは全五篇の中で第一篇と第二篇で、第二篇は古代の家族の構成にふれています。宗教と結婚、家の永続、養子と離婚、所有権、相続権、家長の権威、などが話題です。著者のフュステルは古代地中海社会、ギリシャやローマの制度や法を理解するためには彼らの古くからの信仰を理解せねばならぬという見地から出発した。古代の地中海の人々は、人間はこの地上で生を終えたらそれですべて終りとは考えなかった。といっても別に輪廻（りんね）や生れかわりを信じたわけではない。魂が昇天するとは考えなかった。人は死んでも魂は地面の下で生きている、と漠然と感じていた。そのような『古代都市』の内容に接するとなんだか日本の事かと思われてくる。霊園で倶会一処（ぐえいっしょ）などの文字を見ると私の内にもその種の感情があるせいか心が動きます。私は兄が亡くなって遺骨は海に撒く、それで平川家の墓の管理は以後は私に頼むと遺言にあったので、それで日本人にとって祖先の墓を守るとはどういう意味なのか、ひとしお強く感じるところがあったのかもしれません。

日本民法への影響

『古代都市』は日本人にとって日本民法への影響を及ぼした大切な本となった。それは次のような歴史的事情に由来します。明治以来の日本の法学者でフュステル・ド・クーランジュの『古代都市』を読んで感銘を受けた人は穂積陳重（ほづみのぶしげ）、弟の穂積八束（やつか）、陳重の子の穂積重遠（しげとお）、重遠の弟子の中川善之助などでした。穂積陳重（一八五五―一九二六）は祖先を大事にする日本国民の気持を良しとして、その気持を基に据えて日本の法体系を整備しようとした。穂積陳重は実に達意な英文で『祖先崇拝と日本の法』*Ancestor-Worship and Japanese Law* を一八九九年に出しています。

岡村司は京都帝大教授で河上肇の先生筋に当る民法の大家ですが、明治三十八年の《家族制度》

という論文の冒頭にこう書いている。

余輩嘗てヒュステル・ド・クーランヂュ著す所の『古代市府』と題する書を読み、古希臘(ギリシャ)羅馬(ローマ)の家族制度を描叙するを見て、恍として思へらく、是れ我が家族制度を説明するものに非ざるかと。唯此の制度は欧洲の現に存する所のものに非ざるが故に、ヒュステル・ド・クーランヂュの之(これ)を記述するや、古書古言に出入し、陳迹碑版(ちんせきひはん)に援拠し、博引旁捜、考証尤も力め、其の炬の如きの明眼と、断制に過ぐるの筆力とを以てして、尚ほ往々にして遅疑顧望の態あることを免れず。然るに余輩読者に在りては、之を解すること極めて明白透徹にして、些(いささか)の陰翳の処を見ず。是れ余輩は現に其の制度の中に生息するを以てなり。余輩又思へらく、夫(そ)れ古希臘羅馬と我が邦と、時を隔つること数千載、地を距ること数千里にして、其の制度の相同じきこと符節を合するが如くなるは、是れ豈偶爾(ぐうじ)にして然らんやと。

中川善之助は大正十五年に『古代都市』の第一篇と第二篇を『古代家族』と題して訳した民法学者ですが、この本を読み出して「これはまるで日本の親族制度を説明して居る様なものだ」と思ったと書いています。昭和・平成の日本の法学者と違って明治の民法学者は外国語もよくできた。その第一級の日本人が『古代都市』を読んでこの書物は日本を説明してくれると思った。
そして、彼らとほぼ同じ頃ハーンも同じ本を読んで同じような印象を受け、それでハーンは遺著となる『日本、一つの解明』を書いた。この本の中には同意できない箇所もたくさんあるが、しかし近ごろになって逆になるほどと思わせる箇所もある。
ハーンは四つの面で偉大でした。東京大学では教授として日本人学生に向けてはすばらしい講義をした。家庭にあっては良き一家の主人として長男には毎日英語の個人教授を続けた。そして書斎にあっては作家として『怪談』以下の不滅の芸術作品を書いた。その上、日本学者として *Japan, An Attempt at Interpretation*『日本、一つの解明』を書いた。戦後の日本で神道評価が低かった間は日本でもハーンのこの遺著も失敗作であるかのごとく扱われてきましたが、死者が神として祀られる「神国日本」の特性があらためて気づかれるようになるにつれ、ハーンの神道解釈もまた世間に重んじられる日が来るのではないでしょうか。

三　アイルランド的解釈

神道にはギリシャ的解釈の次にアイルランド的解釈もあるということをお話しましょう。英詩の実例などの詳細は英文では述べますが、日本語文ではそれははしょらせていただきます。

お盆と万霊節

神道は教えられるよりも感じるものといわれます。ハーンの神道解釈は古代ギリシャとの比較もありましたが、頭で理解するより先に、日本の宗教風俗を実際に見聞し感じた節がありました。たとえばハーンは松江へ行く途中、明治二十三（一八九〇）年夏、盆踊りを見て感ずるところがありました。また《日本海の浜辺で》という同じく『知られぬ日本の面影』*Glimpses of Unfamiliar Japan* に収めた文章に明治二十四年の旧暦七月十三、十四、十五日に体験したお盆のことが敏い感受性で記されています。十六日には Ships of Souls と英訳すべき精霊舟が送り出される。するとその後は誰も海にはいらない。

その日、海は死者の通い路となり、死者はその海を渡って死者の神秘の故郷へ帰らなければならないからである。そしてまたそれだからこそ、その日、海は仏海と呼ばれる。故人の霊が帰って行く潮の流れは the Tide of the Returning Ghosts と意訳してもよいだろう。そして昔から必ずその陰暦七月十六日の夜には、海が静かであろうと荒れていようと、海面はことごとく外海へ流れ出て行く淡い光——死者たちのかそけき光で点滅する。すると遠くの都会のざわめきのような人々の声のざわめきが聞こえる。それは魂たちの聞き分けがたい話し声なのである。

アイルランドの外交官ピーター・マカイヴァー（Peter McIvor）さんも二十年近く前に来日して燈籠流しに感動して Floating Lanterns という感想文を *The Transactions of the Asiatic Society, 2006* に書いています。そしてハーンの精霊舟の記述にも言及しています。《日本海の浜辺で》の第十一節にはそのお盆の夜の鳥取の海浜の墓場の様がこんな風に記されています。

……私は膝まで砂に漬（つか）るようにして歩いて、その墓場にたどり着いた。暑い月夜の晩でずいぶん風が吹いている。盆灯籠（ぼんとうろう）がたくさんあるが、潮風に吹かれて大半は消えていた。わずかにあちこちにおだやかな白い火が点（とも）っている。小奇麗（こぎれい）なお宮様の形をした木の箱で出来ていて、なにか象徴的な輪郭を描いた窓がくり抜いてあり、そこに白い和紙が貼ってある。……竹筒にはどれもこれも新しい花や枝がいけてあり、閼伽（あか）には新しい水が注（つ）がれ、墓標や墓石はきれいに洗われていたからである。

そして墓前にはお膳や小さな湯呑茶碗もありました。

ハーンが日本の宗教的風俗にいちはやく入り込み得たのは、アイルランドでそれと似た宗教的風俗に親しんでいたからではないか。All Souls' Day は万霊節と訳されますが、これはアイルランドではケルトの国の魂祭りがキリスト教と習合した祭りでした。アイルランドの年中行事を記述した民俗学の本 Kevin Danaher, *The Year in Ireland* (Cork: Mercier Press, 1972) の All Souls' Day の項目にこう出ています。私はこの本をアイルランドのシャーキー（Sharky）大使からお借りした。

十一月二日は万霊節であり、親しい身内の者で故人となった者の霊をみな祭る日である。昔からの教会のならわしに従って、その日は亡くなった人々の魂の冥福のためにお祈りがあげられる。

広く信じられていることは、一家の身寄りの者で亡くなった人はその日の夜、自分たちの昔の家に戻って来る。その時に、ようこそお帰りなさいました、と歓迎する気くばりをしなければならない。

万霊節の夕方というのは故人を追憶する聖なる夕べである。まず床を清らかに掃き清める。炉に勢いよく火を焚く。薪は十分くべておく。家族の者は早目に寝室にさがってしまうが、玄関の扉には鍵を掛けずにおいておく。食卓には井戸や泉から汲んできた水をなみなみと碗に注いでおく。そうすれば身内の者で亡くなった者が帰って来ても、自分の家の炉端で自分のために用意された座を見つけてゆっくりくつろげるからである。一年間でその日一日だけは死者の霊は自由になれる。そしてその日だけは自分の昔の家に戻ることが許される。

多くの人々は、夕方のお祈りが唱えられる時刻になると、家族の死者の一人一人のためにお灯明をあげる。ある場合にはお祈りがすむと蠟燭も消されるが、時には蠟燭が燃えつきるまでそのままお灯明をあげている家もある。万霊節の日に身内の者が埋葬されているお墓に詣でる人は多い。故人のために祈り、墓を清め、墓を掃除する。中にはお祈りする間、お墓に火のついた蠟燭を立てておく人もいる。

イェイツの《ヴィジョン》のエピローグとして書かれた《万霊節の夜》の詩には、モスカテルの白葡萄酒がなみなみとつがれた二杯の背の高いグラスが、真夜中、教会の大小の鐘が鳴り出すとともに突然泡立ち、食卓の上にこぼれ"A ghost may come."と歌われています。海に面した地の多いアイルランドでも霊は海を渡って帰ってくる。しかしそのような霊魂観にまで立ち入らずとも、お盆と万霊節の風俗の共通点を見ただけで、幼年時代このような宗教風俗の中で育ったハーンであるからこそ、日本に来て民衆の風俗を解し得たのだ、と皆さまも納得されるのではないでしょうか。お盆がハーンの日本宗教理解の最初の重要なきっかけでした。

ハーンが発見した神の国、Ghostly Japan

こんなお盆の話をすると皆さんはお盆を仏教のお祭りのように思っておられるでしょうが、マカイヴァー氏も、彼をお盆のころに自宅に招いた日本人教授もお盆は仏教の宗教風俗と思っていました。しかしお盆はもともとは魂祭り（たままつり）とも精霊会（しょうりょうえ）ともいわれた祖霊供養の宗教風俗で、この先祖祭祀の行事は日本に仏教が渡来する以前から行なわれていました。そのしきたりが仏教がもたらした盂蘭盆（うらぼん）と習合してお盆と呼ばれるようになったのです。日本では亡くなられた人をさして「仏さん」と呼びますが、死体を仏さんと呼ぶ国はほかの仏教国にはありません。死体にまだ霊魂が宿っているかもしれないと考えて霊魂を尊んで日本では遺体を「仏さん」と呼ぶのです。本席に外国の方もお見えでございますが、もし私の言うことが違っていたらお教えくださいませ。それは日本人以外にも死体を「仏さん」と呼ぶことはあるのか。確かにテレビで刑事コロンボはカリフォルニアで死体をさして「仏さん」と申しますが、あれは小池朝雄が日本語の吹き替えでそういっているだけでありまして英語で body とか corpse と呼んでいるので Buddha-san といっているわけではありません。先ほどの仏海（ほとけうみ）という言い方も霊魂が仏で個人の霊がお盆の日に家に現われ、また七月十六日に故人の霊が海上を帰って行く。精霊舟で帰って行く。仏海（ぶっかい）、中国語で言う fóhǎi は仏法の広大なることですから、仏海（ほとけうみ）はこれも日本の神道の祖霊供養の風俗が仏教と習合したものであるということがおわかりでしょう。

仏教が日本でいかに変化したか。その事は他のアジアの仏教国にはなく日本にだけある仏事に注目すればわかる。彼岸会（ひがんえ）などもそれです。彼岸とは春分、秋分の日を中日としてその前後、各三日、合わせて七日間の称です。『源氏物語』の行幸の巻にも出てきますが、諸仏に詣で、亡霊に供養します。これは仏典になくまたインド、中国でも行なわれることはありませんでした。仏教伝来以前の日本の祖先崇拝の風習より転じて行なわれるようになったものでしょう。お彼岸といえば日本人は仏事だと皆思っている。それだからこれは形式的には神道の仏教化といえますが、そこで日本人が供養しているのは先祖の霊であるとすると、これは信仰の内実としては仏教の神道化といえないこともないのです。日本のお坊さんはそんなことは教えてくれません。日本の仏教が神道化し、神道もまた仏教の感化を浴びたようなことはハーンのような外国人が教えてくれるから貴重です。

ハーンとイェイツ

最後にハーンとイェイツの関係にふれましょう。

ハーンとアイルランドの関係が重要視されるようになったのは近年です。ハーンは瞼の母と生き別れたことが生涯トラウマとなった人で、その原因となったアイルランド人の父親を憎んだ。子供の時はアイルランドの聖人のパトリックという名前で呼ばれたがアメリカへ渡ってからは父方とのつながりを嫌いパトリックを捨て、生まれの地ギリシャのレフカダ島にちなんだラフカディオの名前を専ら用いるようになったことは前に述べました。それだけにハーンは自分とギリシャとの関係を強調し、また好んで日本を古代ギリシャとの関係で説明しました。

しかし五十を過ぎた頃から自分はアイルランドで幼年時代を過ごしてそのことが血となり肉となっていることに気づき始めます。フェアリーがたくさんいる **ghostly Ireland** の感化を一身に浴びて育ったお蔭で **ghostly Japan** 霊の日本も共感をもって解釈することができたのだ、とさとった節がある。さきほどアイルランド的解釈の一例としてお盆と万霊節の共通性にふれました。そのハーンの自己の内なるアイルランド性の発見を伝える言葉が一九〇一（明治三十四）年のイェイツ宛の手紙です。

……四十二年前、私は恐るべき小さな子供でした。ダブリンのアッパー・リーソン街に住んでいました。私の乳母はコンノート地方の出で、私にフェアリーの話や怪談を聞かせてくれた。そうです。それだから私はアイルランドの事が好きでなければならないはずだ。そして事実好きでたまらないのです。

四　天皇家の神道

祖先崇拝の普遍性

最後に神道の普遍性にふれます。フランスのアランは一九二二年一月十五日に《死者崇拝》と題する『語録』でこういっています。

Le culte des morts se trouve partout où il y a des hommes, et partout le même ; c'est le seul culte peut-être, et les théologies n'en sont que l'ornement ou le moyen.

死者崇拝は人間がいる限り世界中いたるところで行なわれている。そしてその内容は同じである。これだけが崇拝の名に値する崇拝であって、神学などというのはその装飾というか道具であるに過ぎない。

亡くなった死者を大切にする気持、これは世界共通です。そして神道とは死者を区別なくまつる宗教です。日本で一番大切な神社は、造りは小さいですが、伊勢神宮です。伊勢志摩サミットの際は各国首脳が伊勢神宮に参拝しました。神社の社頭に立てば頭を垂れるのが人間として自然なのではないでしょうか。社頭にはそれだけの荘厳な雰囲気がただよっています。ところがエリザベス女王が来日した際、伊勢神宮にお辞儀をしないようわざわざ申し入れた日本のキリスト教の団体がありました。「国家神道」への反応でしょうが、そういう申し入れはどうも行き過ぎだった気がします。しかし戦争中は小田急で参宮橋の駅のあたりを通過する際車中で頭を垂れたりした。これもまた行き過ぎであったかと思います。

その伊勢神宮は天皇家の祖神である天照大神が祀られています。日本で天皇は神主の一番上に立つ人ですから、その天皇は代々続くことと祈ることに一番の意味がある。天皇に権力はないが権威があるのはなぜか。個人は死ぬが子孫や民族は続く、天皇がつづくことに民族の永生を感じるから「一系の天子」を有難く思うのだろうと思います。天皇の本質は誰も取って代わることができない血統によって決まった「存在」にあります。「存在」あってこその「機能」であり、その逆ではない。マスコミは被災地訪問などの「機能」の面に目が行きがちで皇室関係者もそのことに敏感になっておられますが、その能力評価に目が行き過ぎると、皇位の安定性が損なわれます。

神道と他宗教との共存

神道は他宗教との共存を認めるが、それはその他の宗教が神道との共存を認める限りにおいてです。聖徳太子は十七条憲法第一条に「和ヲ以テ貴シトナス」と諭しました。大陸文化導入を機に力を伸ばそうとした蘇我氏と、それに敵対した物部氏の抗争を目撃したから、太子は仏教を尊びつつも一党の専制支配を懸念し、支配原理でなく「和ヲ以テ貴シトナス」という複数価値の容認と平和共存を国家基本法の第一条に述べました。これは十戒の第一条に「汝我ノホカ何物ヲモ神トスベカラズ」と主張する一神教の基本法とはまったく違う態度です。

日本は仏教を採り入れたが神道も大事にした。多くのお宅には仏壇も神棚もある。生まれた時は神社にお宮参りに行き、葬式は仏教で行なう、というのが役割分担でありました。それだから お宮さんの氏子でもあるがお寺さんの檀家でもある日本人が多い。統計をとると日本では仏教徒と神道の氏子と合わせると日本の総人口より多くなる。皆さまそこでお笑いになりますが、それは外国ではキリスト教徒であり同時にイスラム教徒であるような人は考えられない。それで「仏法を信じ神道を尊んだ」日本国民はなにか宗教的に不徹底で真面目でないように考える向きが内外におられるわけです。そんなこともあって神仏二つの名を口にすることを恥じて、日本では無宗教と答える人がふえつつある。統計をとると仏教徒と神道の氏子と合わせると日本の総人口より多い国でありながら、無宗教と答える人も結構いる。

聖徳太子の父の用明天皇の時代は国際派の蘇我馬子と土着派の物部守屋の激しい対立抗争があった。それで寛容の教えをお子様の聖徳太子は唱えた。それが「和ヲ以テ貴シトナス」でありま す。西洋で寛容の思想が生まれたのはカトリックとプロテスタントの宗派争いが激しくて血を血で洗う宗教戦争が続いたから、それでやむを得ず寛容、tolerance という複数価値の共存を認める考え方がキリスト教という宗教の外から生れて来た。Tolerance にはしょうがないから認めます、という意味もある。フランスは一九四七年まで女郎屋が公認されていてそれは maison de tolérance と呼ばれていた。キリスト教もイスラム教も宣教の過程で多くの血を流した。Tolerance はそれでやむを得ず平和共存を認めた。それに比べて仏教の伝教は血を流すことが少なかった。日本で仏教の布教の際に神社を破壊するなどということをほとんどしなかった。京都の大きなお寺には必ず小さな神道の祠があり八幡様などが祀られている。八幡様は武の神様で古代西洋でいえばマルスの神にあたりますが、ダンテの『神曲』にはフィレンツェ市はキリスト教を受入れアルノ川の橋の上に祀ってあった軍神マルスの像をとりはらった。それが祟って戦争に負けるのだ、と出ている。私は来週の火曜には日仏会館で在京のフランス語婦人会の皆様にこのような神道の特色や神仏混淆についてお話申しますが、戦後しばらくの間は神道について話すことには非常なためらいがありました。それが最近は、本席もそうでありますが、広く説明が求められるようになりました。めでたいことと思います。

神道の国に生まれて、まあよかった

さて皆さまは神道をどうお感じになりますか。神道とは明治国家が忠君愛国教として天皇家の宗教を国の宗教、国家宗教として国民に押し付けたとチェンバレンは明治末年に述べましたが、そしてその説は戦後繰り返し説かれましたが、それと同じようにお考えになりますか。それとも神道は日本という伝統風土の中で暮らす人の感受性の中に自ずと生まれる畏敬の気持である。元日に初日の出を拝むような気持である。そのようにお感じになりますか。皆さま、本日この参集殿に来られた時、あるいはお帰りになる時に、明治神宮にお詣りになりますか。

今日は神道になじみの薄い外国の方にもわかりやすいように、私は小泉八雲ことハーンの目を通して見た神道について、私の理解する範囲内で、お話申し上げましたが、皆さまもなにとぞ神道が引き継いでゆくべき道について外国の方にもきちんとお話してくださるようにお願いしたく思います。私自身は神道の感受性で織りなされている地に生まれたことをひそかに誇りとしております。

明治天皇は、

とつくにの人に見すべきしきしまのやまと錦を織りいださなむ

と歌をよまれました。

Let us reveal to the world the beauty that is interwoven in Japan.

註

（1）アメリカ側にも一人愛読者がいました。マッカーサー元帥の高級副官ボンナー・フェラーズ将軍で、その人が占領初期にキー・ポジションにいたことが天皇の地位を安泰に保つ上でどれだけ幸いしたかは『平和の海と戦いの海』（『平川祐弘著作集』、勉誠出版）、『小泉八雲と神々の世界』（『平川祐弘著作集』、勉誠出版）などで述べたのでここでは略します。

（2）遠田勝《小泉八雲――神道発見の旅》（平川祐弘編『小泉八雲　回想と研究』、講談社学術文庫、一九九二年）。

（3）Reischauer, *The Story of a Nation*, 1974 の方が、日本でもよく読まれたエドウィン・O・ライシャワー『ザ・ジャパニーズ』（國弘正雄訳、文藝春秋、一九七九年）よりも神道についての大局観がよく出ています。

（4）『日本書紀』では日本武尊は「吾是現神人之子也」と答えましたが、W.G. Aston, *Nihongi*（Tuttle 出版、二〇〇九年）では I am the son of a Deity of visible men と訳されていて God-Emperor のようなおどろおどろしい印象は与えません。

（5）Helen Hardacre, *Shintō and the State, 1868-1988* (Princeton: Princeton University Press 1989), pp.40-41.

（6）Maud Rowell,《Ten Days in the Land of the Kami》『神園』第十七号、二〇一七年五月、一九三頁。この明治神宮国際神道文化研究所の機関誌に掲載された印象記は読んですがすがしい一文で、戦時中の日本に対する偏見と無縁なケンブリッジの女子学生の実感がつづられています。

（7）『平田篤胤全集』第六巻、平田篤胤全集刊行会編名著出版、一九七七年、五五三頁。

ラフカディオ・ハーンがとらえた神社の姿

——"A Living God"とケルトの風

牧野陽子

一 ジャパノロジストの神社観と神道評価
――先祖崇拝と自然崇拝

これから、ハーンの眼に映った神社の姿、ハーンがとらえた神社空間の宗教性というものを、その作品を手掛かりにして、見ていきたいと思います。神社についてよく言われるのは、「自然と共にある」、「木々に囲まれていて、〝自然との親和性〟の象徴である」などでしょう。しかし、そのように言われるようになったのは近年のことで、ラフカディオ・ハーンの時代にはその限りではなく、ごく少数派の考えでした。神社については、当時の西洋の代表的な意見として、明治時代の三十八年間日本に滞在していた英国人バジル・ホール・チェンバレンが、『日本事物誌』(一八九〇年)のなかで、以下のように記しています。

神道の社殿は、原始的な日本の小屋を少し精巧にした形である。
神社は茅葺の屋根で、作りも単純で、内部は空っぽである。(《神道》[1])

伊勢神宮についても、こう述べます。

観光客がわざわざこの神道の宮を訪ねて得るものがあるかといえば、大いに疑わしい。檜の白木、茅葺きの屋根、彫刻もなく、絵もなく、神像もない。あるのはとてつもない古さだけだ。(《伊勢》[2])

このような神社観は、もちろん、当時の外国人による神道そのものの評価と表裏一体をなすもので、再度チェンバレンの記述を引用すると、このように記されています。

神道は、仏教が入って来る前の神話や漠然とした祖先崇拝と自然崇拝に対して与えられた名前である。しばしば宗教として言及されているが、その名に値する資格がほとんどない。神道には、まとまった教義もなければ、神聖な書物も、道徳規約もない。(《神道》)

さらに、イギリス公使館のウィリアム・アストンは、その著書『神道』(一九〇五年)の中で下記のように、神道にないものを列挙しています。

神道は……神々のイメージが希薄で、道徳的規範もない。そして、霊の概念の把握が定かでない。死後の将来の状態の認識がない。[3]

このような西洋人の神道論に対して、ラフカディオ・ハーンは、「神道の源泉を書物ばかりに求めていてもだめだ、現実の神道は、書物の中に生きているのではない。あくまで国民の生活のなか、心の裡に息づいているのだ。」[4]（《杵築》）と反論していますが、同時にハーンは、「神道の本質とは何かという問に明確な答えを与えるのは今なお難しい」[5]ということも、多くのエッセイのなかで繰り返し述べています。最後の著作『日本——一つの解明』（一九〇四年）の第一章は、《理解の難しさ》(Difficulties)という題です。では、何が分かりにくいのか。

チェンバレンは、前述の通り、神道とは「漠然とした祖先崇拝と自然崇拝」からなる、と冒頭で規定しています。続けて、理論がない、聖書がない、規範がないと述べているので、逆にいえば、当時の西洋人にとって「先祖」と「自然」というそれぞれ別の二つの対象を崇めるということは、理論的に体系的に言葉で説明されていなくてはならない、ということになるのでしょう。周知のように、キリスト教においては、創造主である「絶対神」と、被創造物である「人間や自然」は、厳然と区別されますが、同時に、神から霊魂を与えられた「人間」（つまり先祖）とそうではない「自然」の間も区別されていて、それぞれ全く異なる存在です。つまり、互いに距離感があるはずの「自然」「人間」「神」の三者の関係が、日本の神道ではどうなっているのか分かりにくい。またアストンのいうように、死後の霊の状態が不明確で、一番大切なことがもやもやしている、ということなのだと察せられます。それに対して、ハーンは書物からではなく、人々の暮らしのなかに入っていくことで、神道の宗教的感覚をとらえようとしました。日本のさまざまな場面を切り取って、ひとつひとつ描いていくことで、そこに息づくものの実感（"something of what Shintō signifies"[6]《家庭の祭屋》）を提示しようとしたのです。そしてハーンが、その神道観を表現したのが、神社の描写だといえましょう。仮に神道に、教義や書物などが無いとしても、全国津々浦々に確かに存在しているのが、神社という宗教建築そのものであり、その前に人々がお参りするということなのです。ハーンは神社と、神社を取り巻く空間を見つめ、思索を重ねることで、神道に対する理解を深めていきました。

二　ラフカディオ・ハーン――《旅の日記から》と《生神様》

ハーンは来日後、横浜周辺の神社仏閣を訪問し、松江に赴任するとすぐに出雲大社に詣でました。また、八重垣神社、美保神社などもたずねては、その紀行文を記していて、さらに、ハーンは名もなき小さなお宮やお社にも目を留めています。そしてむしろ、有名な神社の紀行文よりは、どこと特定されない無名の神社の描写のほうに印象的な記述があり、ハーンの神社観がよく読み取れると思います。それが今日とりあげる、《旅の日記から》(“From a Traveling Diary”)の一節と、《生神様》(“A Living God”)という作品です。ハーンの理解は「神社に至る参道」、「神社の形」そして「神社にまつられる神」という三つの段階を踏んで深まっていきます。

神社の参道

まず《旅の日記から》(『心』一八九五年)は京都の旅行記録ですが、そのなかの短い一節でハーンは神社に至る参道の魅力について、次のように述べています。

Of all peculiarly beautiful things in Japan, the most beautiful are the approaches to high places of worship or of rest,—the Ways that go to Nowhere and the Steps that lead to Nothing. ……

Perhaps the ascent begins with a sloping paved avenue, half a mile long, lined with giant trees. Stone monsters guard the way at regular intervals. Then you come to some great flight of steps ascending through green gloom to a terrace umbraged by older and vaster trees; and other steps from thence lead to other terraces, all in shadow. And you climb and climb and climb, till at last, beyond a gray torii, the goal appears: a small, void, colorless wooden shrine,—a Shintō miya. The shock of emptiness thus received, in the high silence and the shadows, after all the sublimity of the long approach, is very ghostliness itself.[7]

数ある日本独特の美しいものの中でも最も美しいのは、参拝のための聖なる高い場所に近づいて行く道である。それはいわば、無に通じる道、無に至る階段である。……

登りは、石畳の緩やかな坂道とともに始まる。両側には巨木が聳えている。一定の間隔をおいて石の魔物が道を守っている。鬱蒼とした緑の中を通って、さらに大きな老樹が蔭をつくっている台地へと導かれ、……どこまでも緑陰のなかを上っていく。それを登って、登って、登りつめると、ついに灰色の鳥居の向こうにめざすものが現われる。小さな、中は空ろの白木造りの社、神道のお宮である。荘厳な参道を長く歩いたのち、静まり返った影の中で、私たちが受ける空虚の感じは、これこそ霊的なるものそのものである。(8)

ハーンは参拝の道を山の中の上り道として描いています。参拝は緩やかな坂道に始まり、両側には巨木が聳え、石の魔物が道を守っている。鬱蒼とした森の中を、登って、登って、登っていく（you climb and climb and climb）。登りながら精神も高揚し期待も膨らむわけですが、登りつめたところで現われるのは、中は空ろの白木造りの社、つまり神道のお宮（a small, void, colorless wooden shrine,—a Shintō miya.）です。ハーンはその空虚を見出す驚き（shock of emptiness）を、霊妙そのもの（ghostliness itself）だと述べて文を終えています。ハーンのこの記述が、神社の簡素さを欠点とみなすチェンバレンらを意識したものであることはすぐにわかります。そしてハーンはその宗教建築らしからぬ「無」を大文字 Nothing で記しました。Nowhere も大文字で記して、空虚さ、つまりチェンバレンによれば宗教建築の必須条件たる聖像など、いわば人為的所産として構築された表象物を排して、森の樹々とともにあること、簡素さを旨とすることを評価したのです。ただここで注目したいのは、ハーンが “the Ways that go to Nowhere, and the Steps that lead to Nothing.” というように、Ways と Steps をも大文字で記すことによって、「無」に至る道、つまり宗教的な道程としての神社の参道に、美を見出していることです。鬱蒼たる緑の中を登っていく参拝の道は「無に至る階段」だとハーンは言います。ここにみられる精神の動きは、いうなればふっと力が抜ける感じではないかと思います。高みへとのぼり、その到達点に極まるのではなく、逆に、ふっと力みが取れて沈んで、緊張がほぐれていくような感じかと思います。

神社の形

《旅の日記から》の一節に記されていたのは、神社そのものよりも、参道や神社に至る空間の描写が中心ですが、神社を真正面から扱った作品としては、その二年後に書かれた《生神様》("A Living God")が挙げられます。これはハーン来日後の第四作『仏の畑の落ち穂』(一八九七年)の巻頭を飾る重要な作品です。そしてこの著書のタイトル『仏の畑の落ち穂』(*Gleanings in Buddha-fields*)とは、いわば仏教の国で拾い集めた短編集という意味なのですが、その冒頭に「神道とはいかなる信仰なのか」を問う作品がおかれていることになります。《生神様》は、長さ二十二、三頁ほどの作品で三部構成になっていて、その内容を簡単に説明すると、第一部で神社建築について語り、第二部でそのような神社を中心とした村の社会を論じ、そして第三部で津波にまつわる濱口五兵衛という人の話を紹介しています。濱口の話は実話がもとになっており、和歌山の村の庄屋の濱口が、大地震のあと村人たちに津波の襲来の危険を知らせるために、丘の上の自分の田んぼにある刈り取ったばかりの稲の束に火をつけた。火事だと驚いて、火を消しに高台に集まった村人たちは、濱口の機転のおかげでみな津波から守られ、助かった、という話です。この第三部の津波の物語は、そのインパクトの強さもあり、独立して大変よく知られています。《稲村の火》という題で、子供向けに構成された翻訳が戦前の国定国語教科書に教材として長く掲載され、また海外でも子供向けの絵本として長く読まれています。津波の描写には迫力があり、物語としての魅力だけでなく、防災の教材という意味でも優れているからだと思います。それに引き替え、《生神様》の前半部分は、あまり取り上げられることがなく、選集や大学のテキストなどに収録されるのは津波の話の部分だけなのです。前半がカットされてしまうのは、日本の神の観念についての記述が少し取っ付きにくく、第三部の強烈な物語との関係がよくわからないからでしょう。しかし、『仏の畑の落ち穂』という作品集の冒頭作品の、さらにその冒頭の部分なので、著者にとって大事な文章でないはずはない。神社の姿を真正面からとらえたその記述は、実によく練られた緻密な描写で、そこにハーンが理解した日本の宗教的感性を読み取ることができるのです。ハーンの《生神様》は以下のように始まります。

Of whatever dimension, the temples or shrines of pure Shintō are all built in the same archaic style. The typical shrine is a windowless oblong building of unpainted timber, with a very steep overhanging roof; the front is the gable end; and the upper part of the perpetually closed doors is wooden latticework,—usually a grating of bars closely set and crossing each other at right angles. In most cases the structure is raised slightly above the ground on wooden pillars; and the queer peaked facade, with its visor-like apertures and the fantastic projections of beam-work above its gable-angle, might remind the European traveler of certain old Gothic forms of dormer.[9]

大きさはいかようであれ、純粋な神道の社は、みな同じ古風な様式で建てられている。典型的な神社の社殿は、塗料を用いない、白木で出来た長方形の窓のない建物で、その上に深く急勾配の屋根がのっている。正面は切妻の壁で、永遠に閉ざされた扉の上の部分は木製の格子作りとなっている。それは通常、直角に交叉する木格子をしっかりと組合せたものである。たいていの場合、建造物は地面より多少上に、木の柱で持上げられている。正面から見ると、奇妙に尖った屋根と、中世の兜の面頬に似た格子の隙間と、切妻の先端から高々と突き出た千木は、ヨーロッパからの旅人にはある種のゴシック様式の屋根の出窓を思い起こさせるだろう。[10]

この冒頭の神社描写は、ある意味、意表をつく描写といってもいいでしょう。つまり、チェンバレンの言うような、ただ古いだけの原始的な小屋ではないのはもちろんのこと、よくいわれる〝自然との親密な関係〟を表すというのでもない。ハーンが描くのは、屋根の勾配の非常なきつさ、永遠に閉ざされた扉、直角に交わる角材、そして高々と聳え立ち、fantastic というほど、空へ立ち上る千木の直線なのです。直線、直角、鋭角、鐙、天への志向。ハーンはまず神社建築の人為性を指摘します。そこに、手つかずの〝自然〟とは対極的な人間の意志を見る。Gothic という言葉をだすのも、軽い比喩ではなく、ゴシック建築がヨーロッパの建築様式のなかでも、特に天を志向する宗教的意思の象徴だからではないでしょうか。ところが、ハーンはこう続けます。

There is no artificial color. The plain wood soon turns, under the action of rain and sun, to a natural grey, varying according to surface exposure from the silvery tone of birch bark to the sombre grey of basalt. So shaped and so tinted, the isolated country *yashiro* may seem less like a work of joinery than a feature of the scenery,—a rural form related to nature as closely as rocks and trees,—a something that came into existence only as a manifestation of Ohotsuchi-no-Kami, the Earth-god, the primeval divinity of the land.(11)

人工的な彩色は一切施されていない。檜の白木は、雨と陽にさらされ、自然の灰色になる。表面がどれだけ外気にさらされたかによって、樺の木の樹皮のような銀色から玄武岩の暗灰色にいたるまでの変化をみせる。そのような形と色だから、田舎にぽつんと孤立した社は、建具師の拵えたものというより、風景の一部のように見える。岩や木と同じくらい自然と密接に結びついた田舎の姿という感じがする。この国の古の神である大地神の顕示として存在するにいたった何かであるように思えるのである。[12]

「彩色されない」白木も、その前段の建築様式の描写をみた後では、技術がないために彩色されないわけではなく、意図的に選び取られた技法なのだとわかります。そして「雨」と「陽」にさらされた結果、木々や岩と同じように景色のなかに溶け込んでいる。その様はまるで大地の神の顕現のようだとハーンは言います。長い年月にわたって建物の形の人為性がそぎおとされていき、やがて神社そのものが自然と一体化したのだ、と。ここで、神社が一体化するのは大地の神であって、天の神ではないことに注意したいと思います。つまり神社の建築様式にみられる、直線的な上へと向かう動きは天へ昇華するのではなく、大地へと戻るのです。人間が高みをめざし、あるプロセスを、ある時間をへて、大地に回収される。先にみた、神社の参道にも共通する動きのパターンで、いわばここにハーンの捉えた神道の要となる大切な考え方をみてとることができるかもしれません。そして、ハーンがここで「典型的な神社」としているのは、「田舎にぽつんとある素朴な神社」です。伊勢神宮でも出雲大社でもなく、名所旧跡の立派で堂々たる建物でもない。全国に無数にある片田舎の名もなき小さな森の御社こそ、神道の本質を体現していると
ハーンは考えました。

神社に祀られる神

ハーンの眼は、さらに、「神社」建築の内部へと入っていきます。

Those Shintō terms which we loosely render by the words "temple" and "shrine" are really untranslatable;—I mean that the Japanese ideas attaching to them cannot be conveyed by translation. The so-called "august house" of the Kami is not so much a temple, in the classic meaning of the term, as it is a haunted room, a spirit-chamber, a ghost-house; many of the lesser divinities being veritably ghosts,—ghosts of great warriors and heroes and rulers and teachers, who lived and loved and died hundreds or thousands of years ago. I fancy that to the Western mind the word "ghost-house" will convey, better than such terms as "shrine" and "temple," some vague notion of the strange character of the Shintō *miya* or *yashiro*,—containing in its perpetual dusk nothing more substantial than symbols or tokens, the latter probably of paper.[13]

私たちが"**temple**"とか"**shrine**"とか大まかに英訳している神道の言葉は、実際は翻訳できない。こうした言葉に日本人が結びつけている観念は、翻訳では伝えられないのである。神の「やしろ」は、いわゆる**temple**ではなく、「霊の出入りする部屋」**haunted room**、「精霊の部屋」**spirit-chamber**、あるいは「霊の家」**ghost-house**である。まつられている無名の神々は、本当に、霊**ghost**だからだ。立派な戦士や英雄や支配者や指導者たち、何百年も何千年も昔に生き、愛し、そして死んだ人々の霊なのである。私が思うには、神道の宮(みや)とか社(やしろ)がもつ不思議な性格についてなにか漠然とした観念を西洋人に伝える際には、宮や社を**shrine**とか**temple**という言葉で訳すよりも**ghost-house**と訳した方が意味がよく伝わるのではないか。あの永遠の薄暗がりの中には、何かの象徴や御印—それも紙でできた—以上に実体的な物は何もないからである。[14]

前の段落で、神社はまるで、大地の神の顕現だと述べつつ、大地の神を直接祀るのではないのです。

all the dead become gods.[15]

死者はみな神になる。

in this home-worship ……, by love the dead are made divine; ……by simple faith they are deemed still to dwell among their beloved; and their place within the home remains ever holy.[16]

家庭の祭祀では、死者は愛する者たちの手で神に祀られ、……愛する人々のあいだにとどまり、その霊の鎮まります所は、いつまでも神聖な場所として大切にされる。

と、ハーンは《家庭の祭屋》(“The Household Shrine”)のなかで繰り返し述べています。人間は死後、子孫に祀られる。その先祖神が長い年月のなかで、やがて個々の名前は忘れられ、〝神様〟となって、大地の神の顕現のような村の神社にも祀られるようになっていく。つまり、ハーンがここでイメージ化して語るのは、いわゆる先祖崇拝のことです。

三　神社空間のダイナミズム――魂のゆくえ・風・里山の風景

ここでアストンの指摘、つまり神道では死後の霊の状態の把握が不鮮明ではないか、という指摘を思い出してください。ハーンはそのアストンの疑問に答えるかのように、神社に祀られる霊がいかなる感覚を持つものなのかについて、想像をはせていきます。そして、《生神様》という作品の第一節において、ハーンがもっとも言葉をつくして語るのが、この部分、つまり神道の先祖神となった感覚を想像するくだりなのです。

As for myself, whenever I am alone in the presence of a Shintō shrine, I have the sensation of being haunted; and I cannot help thinking about the possible apperceptions of the haunter. And this tempts me to fancy how I should feel if I myself were a god, —dwelling in some old Izumo shrine on the summit of a hill, guarded by stone lions and shadowed by a holy grove.(17)

私自身についていえば、私は一人で神社の社頭に立つと、なにか霊に取りつかれるような感覚をいつも覚える。そして、そこに立ち現れる霊はいかなる知覚作用をもちうるのかと考えてしまう。すると、つい、こんなことを空想してみたくなるのである。自分がもし神となって、出雲のどこか古い社に祀られて、丘の上で石の獅子に護られ、聖なる杜の影の中に住んだなら、どのように感じるだろうか、と。

ハーンは、神社の前に立つと〝霊に取りつかれる〟(be haunted)感じがする。そして、逆にその霊(the haunter)の方に意識が赴いてしまうと言います。そして「自分も神道の神となって、丘の上の古い社に祀られたなら、どのように感じるだろうか」という空想をはじめるのです。自分がもし神であったら、と一人称で神の立場から描写を始めることは、もしこれが一神教の世界であれば、それこそ畏れ多くて極めて大胆不敵な仮定といわざるを得ないでしょう。なぜなら、一神教の世界では「人間」と、信仰する対象である「神」との間に厳然たる一線を画すからです。しかしハーンの文章には、そのような恐縮するというニュアンスはない。ただ haunt されるものから haunt する方へと、立場が替わるだけなのだとでもいうかのように、きわめて自然な連想になっています。「死者はみな神になる。(All the dead become gods.)」という世界では、神は祀る対象であると同時に、のちの〝自分〟の姿でもあるからです。そしてハーンはこう想像します。

Elfishly small my habitation might be, but never too small, because I should have neither size nor form. I should be only a vibration,—a motion invisible as of ether or of magnetism; though able sometimes to shape me a shadow-body, in the likeness of my former visible self, when I should wish to make apparition.

As air to the bird, as water to the fish, so would all substance be permeable to the essence of me. I should pass at will through the walls of my dwelling to swim in the long gold bath of a sunbeam, to thrill in the heart of a flower, to ride on the neck of a dragonfly.[18]

すまいの社は、神にしては、妖精のすまいのように小さい。でも小さすぎることはない。私にはもはや寸法も形もないから。私は単なる空気の振動、目に見えぬエーテル、磁気の動きのようになる。

そして、鳥が空中を、魚が水中をゆくように、私はあらゆる物質を通過し、住まいを自在に出入りする。時には金色の陽光のなかに身を浸して泳ぎ、花の芯のなかでときめき、とんぼの首にまたがって飛びまわることもできる。

これがアストンへの答えともいえる、神道における死後の霊の状態でしょう。空を飛ぶ鳥や水に遊ぶ魚のように、目に見えぬ魂は御社を自由に出入りする。太陽の光を浴び、花のなかで心ふるわせ、とんぼに乗って滑空する。そのさまは、解放感と飛翔感にあふれている。死者は、こうして自然のなかに遍在する神となっているのです。ハーンは続けて、その神が神社の社で、また家々の祭壇で祈りの言葉を聞き、お供え物をうける様子を想像するのですが、それはハーンがすでに《家庭の祭屋》というエッセイのなかで日本の先祖崇拝が各家庭の神棚や仏壇でどのように行われているかを細やかに記したさまを、今度は祀られる側の視点からながめたものです。

先祖崇拝が神道の重要な要素であることについて、ハーンは最後の著書『日本――一つの解明』のなかで詳しく論じており、古代ギリシャやローマでも先祖崇拝は行われたとして、あらゆる国の先祖崇拝に共通する特徴を三つ箇条書きであげています。

一、死者はこの世にとどまる。
二、死者はみな神となる。
三、死者の冥福も、また生者の幸せも、子孫が先祖の祀りごとの義務を果たすことで得られる。(19)

平川先生が指摘されたように、ハーンも引用するフュステル・ド・クーランジュの『古代都市』（一八六四年）のなかの先祖崇拝のくだりと、ハーンが日本の先祖崇拝について述べた箇所を読み比べると、たしかにそっくりです。しかし、ただ一つ違う点があります。それは死者の霊はこの世のどこに残るのか、という点です。フュステル・ド・クーランジュは、「古代においては、人は死者は墓の中で生き続けると確信していたため、必要とされる品々―衣服、道具類、武器などと必ず一緒に埋葬した。」、「墓のない霊魂は住む場所を失ない、不幸になってさまよい続け、悪事を働く[20]」と考えましたが、ハーンは、『日本――一つの解明』のなかで以下のように記しています。

Their bodies had melted into earth; but their spirit-power still lingered in the upper world, thrilled its substance, moved in its winds and waters.[21]

死者の肉体は土と化しても、その霊の力は地上に留まっており、それが地上の物質をかすかに震わせ、風や水の動きと化すのである。

つまり、ハーンが考える神道の先祖霊は古代ローマの霊とは異なり、風と化し、水と化し、自由に自然のなかに溶け込んでいる。このハーンの規定を読むと、さきほどの神の描写のくだりが一層よくわかります。そして、風と化した神・霊は、さらに人間のもとへ、里の自然のなかへと下ってくるのです。ハーンの描写を続けてみてみましょう。

But in my yashiro upon the hill I should have greatest honor: there betimes I should gather the multitude of my selves together; there should I unify my powers to answer supplication.

From the dusk of my ghost-house I should look for the coming of sandaled feet, and watch brown supple fingers weaving to my bars the knotted papers which are records of vows, and observe the motion of the lips of my worshipers making prayer:—

……

Sometimes a girl would whisper all her heart to me: "Maiden of eighteen years, I am loved by a youth of twenty. He is good; he is true; but poverty is with us, and the path of our love is dark. Aid us with thy great divine pity!—help us that we may become united, O Daimyōjin!" Then to the bars of my shrine she would hang a thick soft tress of hair,—her own hair, glossy and black as the wing of the crow, and bound with a cord of mulberry-paper. And in the fragrance of that offering,—the simple fragrance of her peasant youth,—I, the ghost and god, should find again the feelings of the years when I was man and lover.

Mothers would bring their children to my threshold, and teach them to revere me, saying, "Bow down before the great bright God; make homage to the Daimyōjin." Then I should hear the fresh soft clapping of little hands, and remember that I, the ghost and god, had been a father.[22]

丘の上の御社に自分はまつられている。神として、いまや大変敬われている。その社で折々に私の分身を集め、力を集中して、祈願に応えることになる。

そして御社の暗がりのなかから、お参りにくる人々の草履をはいた足元を、日焼けした手のしなやかな指が私の木格子に誓願の紙を結びつけるのを、そして祈りを唱える口唇の動きを、私は見ている。

時々、娘が思いのたけを小さな声で述べる。「十八の娘です。二十の人に思いを寄せられました。誠実な良い人です。でも貧しさゆえ、二人の恋路は闇なのです。どうかご慈悲をもってお助けくださいませ。どうか一緒になれますように。大明神さま」そして彼女は、柔らかな髪のひともとを私の社殿の格子に掛けた。娘自身の髪の毛で、烏の羽のように黒く光沢があり、楮の紙縒（こよ）りでくくってある。そのお供え物の香、その百姓の娘の質朴な香りに包まれたとき、霊であり神である私は、昔、恋する人であったころの気持ちを思い出すのである。

すると今度は、母親が閾まで子供をつれてきてお詣りの仕方を教える。「大明神様の前でお辞儀してお祈りしなさい。」すると、小さな手で柏手を打つ、優しくかわいらしいその響きを聞いて、霊であり神である私も、昔、父親であったことを思い出すのである。

丘の上の御社にまつられた神のもとへ、子孫の誰かがお詣りしお供えをすると、霊である神が人間の心と感覚を取り戻していく、というこのくだりは大変印象的です。御供えの娘の髪の香によって“I, the ghost and god, was man and lover.”と思い、子供の手の柏手の音で“I, the ghost and god, had been a father.”と思い出すというのです。つまり、嗅覚と聴覚という身体の感覚が、はるかな過去をよみがえらせます。プルーストの小説にでもありそうな、非常に感覚に訴える場面と言えましょう。そしてハーンの記述の重点は、「人を神として祀る」という信仰において「人は死後、神となる」と同時に、「神もまた人であった」ことの驚きにも似た発見にあるといっていいかと思います。こうして、人であったことを思い出した、霊であり神である存在は、社をでて、丘をくだり、里の自然のなかに入っていく。ハーンはこう続けます。

Between the trunks of the cedars and pines, between the jointed columns of the bamboos, I should observe, season after season, the changes of the colors of the valley: the falling of the snow of winter and the falling of the snow of cherry-flowers; the lilac spread of the *miyakobana*; the blazing yellow of the *natané*; the sky-blue mirrored in flooded levels, levels dotted with the moon-shaped hats of the toiling people who would love me; and at last the pure and tender green of the growing rice.

杉や松の木立の間から、竹林のすきまから、季節の移り変わりにつれて谷間の色がかわるのを私は見るだろう。冬には雪が降り、春は桜の花が舞う。都花は一面の薄紫色に咲きほこり、菜の花は黄色に燃え上がる。空の青は水をたたえた田の面に映え、その水面には、お百姓の丸い月のような笠が点々と見える。仕事にいそしむあの者たちは、みな私のことを大切に思っていてくれるのだろう。そして今、ゆたかに伸び行く稲の澄んだ、やわらかな緑も見える。

とハーンは神に語らせる。そして、ハーンはこの一節をこう結んでいます。

The *muku*-birds and the *uguisu* would fill the shadows of my grove with ripplings and purlings of melody;—the bell-insects, the crickets, and the seven marvelous cicadæ of summer would make all the wood of my ghost-house thrill to their musical storms. Betimes I should enter, like an ecstasy, into the tiny lives of them, to quicken the joy of their clamor, to magnify the sonority of their song.[23]

椋鳥や鶯は私の森の木陰を、せせらぎやさざ波のような調べで満たし、鈴虫やコオロギや夏の見事な七種の蝉は、その音楽の嵐にあわせて私のすまいの壁の木の板すべてを、打ち震わせるだろう。そして私は歓びに耐えかねて、彼らの小さな命のなかに入り込み、虫の音をひときわ輝かせ、鳥のさえずりを高らかに響かせるのである。

神が里におりてきて、目にする光景――山のふもと、杉の木立や竹林がそこかしこにあり、冬には雪、春には桜、菜の花、都忘れ、そしてなみなみと水を張った田圃のひろがり。豊かに実る稲。これは、私たちが脳裏に思い描く、日本の里山の風景、いわば日本の原風景といっていい景観だと思います。この場面は、色彩が実に鮮やかで、白、薄紅、黄色、紫、青、濃い緑に次々と染まっていきます。最初、神はお社の暗がりの中にいた。格子戸の隙間から、お参りにくる人々の足元や手の指、祈りを唱える口元、つまり人の体の小さな断片しか見えなかったのが、次に、お供えの香と、柏手の音、つまり嗅覚と聴覚が刺激となって、感情が呼びさまされます。里におりてくるまでの、禁欲的なまでに視覚を排除した時間のあとに、一気に色彩あふれる里山の自然が広がるからこそ、神は喜びに震えるのです。最後の結びの一節は、神が鳥のさえずりや虫の声のなかにすーっと入っていって、御社の森に音楽を響き渡らせるという、まるで交響曲の最後の楽章のように高らかな自然賛歌となっています。《生神様》のこの一節を読んだとき、神が自然のなかに宿るとは、こういうことなのだと思いました。そしてこれが神の一人称で描かれているからこそ、自然の輝きを目にする神の喜びは読者のものとなるのです。人は死して神となり、神は人のもとへ戻ってくる。一度は山の高みに上るが、里におりて、自然の息吹となる。ハーンはこのように、里山の自然を舞台に展開する、ひとつの大きな円環として、田舎の小さな神社の信仰の風景を描きました。ここにみられる、天に向かい、その高みから再び大地に回帰するという動きが、先に読んだ、神社の参道の風景、そして神社建築の描写と重なるものだということはおわかりいただけるでしょう。ハーンがここで提示したのは、いわば神社空間にみられる神道のダイナミズムと言っていいでしょう。そのダイナミックな空間のなかで、人と神と自然は、めぐりめぐっている。先祖崇拝と自然崇拝は、このような形で一体化しているのです。そしてこれがチェンバレンやアストンの疑問に答えて提示した、理論ではない一つのイメージとしての、空間把握としての神道世界なのです。

周知のように『古事記』においては人間も、〝青人草〟と称され、いつのまにか自然に生まれていました。つまり唯一絶対の神がその意志で一瞬にして作ったものではないのです。とすれば、人間の魂の行方、魂の救いも、神による一度の裁きによって決定されて、天国か地獄に振り分けられるのではなく、ゆるやかな時間の積み重ねのなかで、高みへと昇華されていき、また青草の間を吹き渡る風となると考えるのは納得できる気がします。

その上で、なぜ津波の話があとに続くのか考えてみると、それは、神道には「倫理規範」がないというチェンバレンらに対する反論として置いたのではないかと思われます。このような神道の先祖崇拝＝自然信仰の世界観がコミュニティを支え、規律として機能しているからこそ、人々は力を合わせて、津波という危機を乗り越えることができた。理論ではなく事実の提示によって立証しようという試みなのです。そして、現代においても、阪神淡路大震災や東日本大震災のときに、被災者がいかに自己を律して、どれほど立派にふるまったか、世界中が感嘆したことは記憶に新しいところです。

四　W・B・イェイツ――ケルトの風と妖精

ところで、《生神様》のなかで、魂のゆくえは、風として描かれていると述べました。神が人であったことを思い出すくだり、

I, the ghost and god, had been a lover.
I, the ghost and god, had been a father.

は、まさに風のささやきのようにきこえてきます。しかも一人称で、風となって里山の自然を吹きぬける神の感覚を描いたことが印象的です。このような捉え方をなぜハーンはできたのか。

結論からいえば、そこにアイルランドで幼少年期を過ごしたハーンのケルト的感性の発露をみてとることができるのではないか、と思います。御社の大きさを、Elfishly small と形容する感覚。Elf とは妖精（fairy）のことですが、ハーンは《妖精文学》(『人生と文学』[24])という東京帝国大学での講義のなかで、妖精 fairy とは、spirit 霊を意味する言葉であって、Elf という英語も同じだと説明しています。そしてアイルランドには、妖精が人間をこの世から妖精の国に連れ去るという伝承があり、妖精に連れて行かれると、「その人は死に、魂は妖精になる。（You die and your soul becomes a fairy.）[25]」と信じられてきたのだと言います。そのような妖精の物語を語る詩人のなかでも最もすぐれているのが、ウィリアム・バトラー・イェイツだと名をあげて、ハーンはその作品を紹介しています。そして、ハーンが《生神様》のなかで一人称で、霊であり神である存在の飛翔を語る場面は、イェイツの描くフェアリーの姿を連想させます。

アイルランドの国民的作家といわれるイェイツはハーンより少し若く、十九世紀末に、古くから伝わるアイルランドの民間伝承、伝説や民話を集めていました。そして、アイルランドの自然(野原や丘の上、森の中、海、湖や泉など)を舞台に、妖精と人間と死者の亡霊が織りなす物語を、『アイルランド農民の妖精譚と民話』(*Fairy and Folk Tales of the Irish Peasantry*、一八八八年)、『アイルランド妖精譚』(*Irish Fairy Tales*、一八九二年)、『ケルトの薄明』(*The Celtic Twilight*、一八九三年)などにまとめています。そしてイェイツは『アイルランド農民の妖精譚と民話』の「序文」で、「ケルト民族は薄明に妖精の歌を聞きつつ、魂や、死んでいったものたちのことをしみじみと考える。これがケルト民族であり、ケルトの夢想である[26]」と言っています。『ケルトの薄明』の冒頭の、「群れをなして飛ぶ妖精たち」"The Hosting of the Sidhe"という詩では、妖精が群れをなして、丘の上から墓地を通って飛んでいきながら、人間についてくるよう誘い、こう歌います。

The winds awaken, the leaves whirl round,
Our cheeks are pale, our hair is unbound,
Our breasts are heaving, our eyes are agleam,

Our arms are waving, our lips are apart;[27]

風は目覚め、木の葉は渦を巻く
　われらの頰は青ざめ、髪は風に舞う
われらの胸は高鳴り、眼は輝く
　われらの腕は波打ち、唇は開いている。

イェイツは、この詩に対して、註をつけて、こう説明しています。

古代アイルランドの神々はシーとも呼ばれた。シーとは、妖精の丘に住む人々という意味で、シーという言葉は、ゲール語で、風をも意味していた。シーは、風と深いつながりがある。彼らは渦巻く風となって旅をする。田舎の人たちは風に木の葉が舞うのを見ると、シーが通ってゆくのだと信じるのである。[28]

ゲール語では、風と、古代の神々と、妖精の丘に住む人々が、同じシーという言葉で表されていたため、この三つが人々の想像力のなかでひとつとなり、アイルランドの人々は風のなかに妖精のすがたを見るようになったというのです。
『ケルトの薄明』の最後を飾る「薄明の中へ」"Into The Twilight"という詩は『葦間の風』(*The Wind Among the Reeds*、一八九九年)にも収められていますが、そのなかで妖精は人間に、こう呼びかけます。

Come, heart, where hill is heaped upon hill:
　For there the mystical brotherhood
Of sun and moon and hollow and wood
　And river and stream work out their will;(29)
さあ、いっしょにゆこう、
　丘の上に丘が重なるところへ、
太陽と月と、谷間と森と、
　川と小川が、互いに神秘の命輝かせるところへ

つまり、『ケルトの薄明』の冒頭と最後の詩は、両方とも、妖精が一人称で語りかけているの

です。またハーンも先の文章の中でふれた「さらわれた子供」("The Stolen Child"、一八八六年)という詩は、ケルトの伝説に多い、妖精が子供をさらっていく伝承をもとにしていますが、その中身はその物語を語るのではなく、さらわれる子供もその親も出てきません。全編を通して、妖精が一人称で歌う歌の形になっていて、その中でリフレインのように、妖精の言葉、

Come away, O, human child!
To the woods and waters wild
With a faery hand in hand,
For the world's more full of weeping than
　you can understand.[30]

さあ、おいで、人の子よ
　森の方へ、湖の方へ
妖精と手に手をとって
　この世はお前の知らぬ悲しみで満ちているのだから。

が繰り返されます。この響きはまさに風のささやきそのものです。そして、妖精の一人称で次々に描かれるのは、イェイツの故郷、スライゴー地方の景観です。古代の神であり死者の霊でもある妖精が、故郷の懐かしい自然の風物の間を風となって、ひとつひとつ愛おしむかのように、吹き渡るのです。この詩のなかで、詩人の視点は妖精側にあります。それがイェイツの詩を際立たせる特徴であることは、たとえばシューベルトの歌曲『魔王』(Der Erlkönig、一八一五年)と比べればよくわかります。歌詞はゲーテによる詩ですが、Erl(エルフ)すなわち妖精が子供を誘い、命を奪う話で、森の中、嵐の風の音に、榛(ハン)の樹の精である妖精の王の声が重ねられています。しかしゲーテの詩は、妖精の王、子供、父親、そして語り手の四つの一人称が代わる代わる登場するという構成となっていて、詩人・読者の立場は、あくまでも語り手側・人間側であり、妖精の側ではありません。それに対して、イェイツの詩では、詩人は死者であり神であり妖精である一陣の風と化して、ふるさとの自然を吹き渡ります。そしてそのイメージがハーンの作品のなかの、"ghost and god"である風のイメージと重なり、響き合うのです。ただ異なるのは、二つの風の歌の調べでしょうか。ハーンの里山を吹き抜ける風が、初夏の青空のもと、明るい長調の喜びの歌であるのに対して、イェイツの妖精の歌は、月夜の世界のように、どこか哀愁をおびて幻想的な短調の響きなのです。

五　柳田国男――『遠野物語』と『先祖の話』

『遠野物語』とイェイツ

ハーンは、イェイツの作品を、著書が出る前、つまり雑誌に掲載された段階からフォローして読んでいたことが分かっています。同じく、イェイツの熱心な読者であったのが、ハーンやイェイツと同様に、民間伝承や民話を収集し、日本の民俗学の創始者とされる柳田国男です。柳田国男の蔵書には、イェイツの詩集も『ケルトの薄明』もありました。柳田に土地の民話を語った遠野出身の佐々木喜善に宛てた手紙（一九一〇年五月）のなかで「先年 Yeats が Celtic Twilight を一読せしこと有之候。愛蘭のフェアリィズにはザシキワラシに似たる者もありしかと存じ居候。遠野物語は早く清書して此夏迄には公にし度願に候へども[31]」と述べていて、読んで感銘をうけていたことがわかります。遠野に伝わる伝承を記した柳田の『遠野物語』（一九一〇年六月）は、柳田の出発点、日本の民俗学の先駆けとされる説話集ですが、それより前に、柳田は『ケルトの薄明』を読んでいたのです。今では遠野を訪れると、おばあさんの語り部が土地の方言で民話を語っており、『遠野物語』は土俗的な雰囲気のなかにあります。しかし、『遠野物語』のテキストそれ自体を読むと、言葉は方言ではないし、内容に関しても、髪の長い美しい女がローレライの乙女のように岩の上に腰掛けている描写や、河童の取り換え子の話、魔法の石にのって空中を浮遊する夢などがあり、どこか西洋風の垢抜けた印象をうけます。土地の人から聞いた話を筆記、編纂するという構成や形もイェイツの『ケルトの薄明』と似ているので、『遠野物語』はイェイツの『ケルトの薄明』に倣った部分があるとも十分考えられます。

とくに興味深いのが、『遠野物語』第八話の《寒戸の婆》です。これはケルトの妖精の「人さらい」に似た話で、梨の木の下で神隠しにあった娘が、三十年あまりたって戻ってきて、また異界に帰って行くという有名なものです。《寒戸の婆》は次の通りです。

黄昏（たそがれ）に女や子供の家の外に出て居る者はよく神隠にあふことは他（よそ）の国々と同じ。松崎村の寒（さむ）戸（と）と云ふ所の民家にて、若き娘梨（なし）の樹の下に草履（ざうり）を脱ぎ置きたるまゝ行方（ゆくへ）を知らずなり、三十年あまり過ぎたりしに、或日親類知音（ちいん）人々其家に集りてありし処へ、極めて老いさらぼひて其女帰り来れり。如何（いか）にして帰つて来たかと問へば、人々に逢ひたかりし故帰りしなり。さらば又行かんとて、再び跡を留めず行き失（う）せたり。其日は風の烈（はげ）しく吹く日なりき。されば遠野郷の人は、今でも風の騒がしき日には，けふはサムトの婆（ばば）が帰つて来さうな日なりと云ふ。(32)

「黄昏」という時間、「他の国々と同じ」という語りだしが、イェイツの『ケルトの薄明』を連想させます。樹の下に草履だけを残して行方知れずになった娘が、三十年後のある日、老女の姿でふと戻ってくる。どうして帰って来たのかと問うと、「人々に逢ひたかりし故帰りしなり。」と言う。そして「さらば又行かん」と言って、姿を消す。最後は「……其日は風の烈しく吹く日だった。そのため遠野の人々は今でも風の騒がしき日には、「けふはサムトの婆が帰つて来さうな日なり」というのだと、終わります。

さて、ここで面白いのは、遠野の佐々木喜善が柳田に語りきかせた原話が残っていることです。原話は柳田のものとあらすじは同じなのですが、違うのが結びです。遠野の原話では、こうなっていました。

然るに其の山婆の往還の都度には数日に渉つて必ず大暴風があるので、季節が季節だから一郷一村非常に難渋をし、ついに村方の厳重な掛合となり、何とかして其の老婆の再び来ないように封じてくれとの談判であつた。茂助の家では仕方なく一郷の名だたる巫女山伏共を頼んで同郡青笹村と自分の村との境の所に一つの石塔を立てゝ今後此処より村内には来るなと云つて厳封してしまつた。其の後は山婆は来なくなつた。[33]

つまり、遠野の伝承では、村境に石塔が建てられて、老婆がもはや村には戻ってこられなくなったわけです。いわば村が共同体の安寧のために異界の山からくる暴風を防いだ話として読めます。ところが、柳田国男はこの結末を変え、山婆となった娘はこれからも、風の吹く日には山から戻ってくる、としました。

原話になくて、柳田国男にあるもの、それは風をよしとし、その風にあの世とこの世を行き来する精霊を感じ取り、いとおしむ感覚です。そこに、イェイツの歌いあげるケルトの風の息吹に通じるものを感じます。

『先祖の話』

この柳田国男の代表作のひとつに『先祖の話』（一九四五年）という著書があります。このなかで、柳田国男は「死んでどこへ行くかという大切な問題[34]」について、こう述べています。

「みたま」が歴史のある最も良い単語だと決すれば、……これを続けて使おうと言うべきところだが、以前の有識層は気の毒なもので、何かこれに該当する男文字がみつからぬとなると、文書にはもうこの語を使うことができなかった[35]……。

霊魂の行くえということについては、ほとんど民族ごとにそれぞれの考え方があって、これを人種区別の目標としてもよいかと思うくらいである。……判りきった事だが信仰は理論ではない。……人々が最も多くかつ最も普通に、死後をいかに想像しまた感じつつあるかというのが、知っておらねばならぬ事実であり[36]……。

柳田がこのように問題提起をするのは、アストンやチェンバレンが神道について「霊の概念、死後の観念がない」「理論がない」と評したことが念頭にあったからではないかと考えられます。そして柳田は以下のように繰り返し述べます。

私がこの本の中で力を入れて説きたいと思う一つの点は、日本人の死後の観念、すなわち霊は永久にこの国土のうちに留まって、そう遠方へは行ってしまわないという信仰が、……根強く持ち続けられているということである[37]。

我々の先祖の霊が、極楽などには往ってしまわずに、子孫が年々の祭祀(さいし)を絶やさぬ限り、永くこの国土の最も閑寂なる処に静遊し、時を定めて故郷の家に往来せられる[38]……。古来日本人の死後観はかのごとく、千数百年の仏教の薫染にもかかわらず、死ねば魂は山に登って行くという感じ方が、今なお意識の底に潜まっているらしい[39]……。御田の神、……家ごとの神が、あるいは正月の年の神とともに、祭る人々の先祖の霊だったろう……。春は山の神が里に降って田の神となり、秋の終りにはまた田から上って、山に還って山の神となる[40]……。

つまり『先祖の話』のなかで、柳田国男が全国の民俗伝承をもとに抽出したのは、「人は死ねば子や孫たちの供養や祀りをうけてやがて祖霊へと昇華し、故郷の村里をのぞむ山の高みに宿って子や孫たちの家の繁盛を見守り、盆や正月など時をかぎってはその家に招かれて食事をともにし交流しあう存在となる。生と死の二つの世界の往来は比較的自由であり、季節を定めて去来する正月の神や田の神なども実はみんな子や孫の幸福を願う祖霊であった[41]。」ということであって、柳田のこの先祖論については「それまで仏教式の六道輪廻の思想や地獄極楽中心の死後観念しか知らず、また一部では平田派の国学流のやや不安定な幽冥観しか宣伝されていなかった日本の精神史の上に、こうして何よりも民俗伝承という客観的事実をもとにその帰納によって右のような日本人の死生観を抽出したのは何といっても柳田民俗学の一つの大きな成果であった。」[42]（新谷尚紀）と高く評価されています。

しかし、柳田がここで提示した日本人古来の霊魂観は、ハーンの《生神様》《家庭の祭屋》等のなかにその原型が既にみられるのは明らかでしょう。ハーンの提示したイメージに、柳田がフィールドワークによる肉付けをしたもの、と言っても良いかもしれません。柳田はハーンやイェイツだけではなく、またチェンバレンもよく読んでいました。とすれば、柳田が日本の霊魂、神道、先祖のイメージを考察し固めていく際に、何がしかの影響や啓発があったと考えるのは、ごく自然なことだと思います。

明治以降、日本は西洋近代と向き合うなかで、日本とは何か、と常に問い続けてきました。日本が自己確認を重ねていくなかで、ハーンと柳田の著作がひとつの重要なビジョンを提示してきたのは、確かなことです。そしてそのハーンと柳田の著作のなかに、イェイツのケルトの風の息吹が感じられるのです。すなわちケルトの想像力は、日本が日本のアイデンティティを求めるなかで、重要なインスピレーションと自信を与えてくれたということになるでしょう。ハーンは、チェンバレンたちの神道論に反論していますが、その努力を否定したわけではなく、以下のように述べています。

彼ら学者の理知的な努力と、日本人の思想や感情——それも特別の階級ではなく、庶民一般の思想や感情に対する深い知識理解が結びついたときに、はじめて神道が何たるか、その過去と現在が、十分に理解されるようになるだろう。そしてそれは、ヨーロッパと日本の学者の共同作業によって、達成できるのではないだろうか。[43]（《家庭の祭屋》）

つまり日本とヨーロッパ、ふたつの想像力が反応しあうこと、学びあうことに意味がある、とハーンは言いたいのだと思います。

今日は、ハーンが日本の神社をどのように描いたか、チェンバレンやアストンの疑問に刺激されて、日本の神道の宗教的世界観をどう捉えたか、そこに実はケルトの面影があるということを、そしてその流れの上に、柳田国男の仕事をおくことができるということも、お話ししました。明治時代のハーンの作品のなかを、そして大正から昭和の柳田の作品のなかを吹いたケルトの風は今日、この神宮の杜にも、吹き渡っているように思われます。

註

（1）チェンバレン『日本事物誌』高梨健吉訳、平凡社東洋文庫、一九六九年。なお、訳文には手を加えた箇所もある(以下すべての訳文の引用も同じ)。

（2）*Things Japanese — CompleteEdition,* Basil Hall Chamberlain, ed. by Takanashi Kenkichi, Tokyo, Meicho Fukyu Kai, 1985, p. 14. ※原著第三版以降削除。

（3）*Shinto The Way of The Gods*, W. G. Aston, Longmans, Green, and Co., London ,1905, p.v. (absence of moral code, hesitating grasp of the conception of spirit, practical non-recognition of a future state).

（4）《杵築》平川祐弘編訳『小泉八雲名作選集　神々の国の首都』講談社学術文庫、一九九〇年、一七四頁。

（5）《家庭の祭屋》同前、三三五頁。

（6）“The Household Shrine”, *Glimpses of Unfamiliar Japan*, vol.2, Houghton Mifflin Co., 1894, p.386.

（7）“From A Traveling Diary”, *Kokoro: Hints and Echoes of Japanese Inner Life*, Houghton Mifflin ,1896, pp.50-51.

（8）「旅の日記から」平川祐弘編訳『小泉八雲名作選集　日本の心』講談社学術文庫、一九九〇年、一〇三頁。

（9）“A Living God”, *The Writings of Lafcadio Hearn*, vol.8., p.3.

（10）《生神様》前掲『小泉八雲名作選集　日本の心』二〇九頁。

（11）“A Living God”, *Op. cit.,* p.3.

（12）《生神様》前掲『小泉八雲名作選集　日本の心』二〇九頁。

（13）“A Living God”, *Op. cit.,* p.4.

（14）《生神様》前掲『小泉八雲名作選集　日本の心』二一〇頁。

（15）“The Household Shrine”, *Op. cit.,* p.394.《家庭の祭屋》前掲『小泉八雲名作選集　神々の国の首都』三四五頁。

（16）“The Household Shrine”, *ibid.*, p.415. 同前、三六五頁。

（17）“A Living God”, *Op. cit.,* p.5.

（18）*Ibid.,* p.6.

(19) I.—The dead remain in this world,—haunting their tombs, and also their former homes, and sharing invisibly in the life of their living descendants;—

II.—All the dead become gods, in the sense of acquiring supernatural power;

III.—The happiness of the dead depends upon the respectful service rendered them by the living; and the happiness of the living depends upon the fulfilment of pious duty to the dead. (*Japan, An Attempt at Interpretation*, New York, The Macmillan Company, 1904, p.31).

(20) "in ancient times people wrote upon the tomb that the man rested there, …… and believed so firmly that a man lived there that they never failed to bury with him the objects of which they supposed he had need—clothing , utensils, and arms. …… the soul that had no tomb had no dwelling place. It was a wandering spirit, …… soon became a malevolent spirit …… which tormented the living." (*The ancient city : a study on the religion, laws and institutions of Greece and Rome*, Translated by Willard Small, New York, Charles T. Dillingham, 1877, pp.17-18).

(21) *Japan, An Attempt at Interpretation*, p.27.

(22) "A Living God", *Op. cit.,* pp.6-8.

(23) *Ibid*., pp. 9-10.

(24) 『ラフカディオ・ハーン著作集　第九巻　人生と文学』池田雅之ほか訳、恒文社、一九八八年。

(25) "Some Fairy Literature", *Life and Literature,* ed. by John Erskine, New York, Dodd, Mead and Co., 1917, p.329.

(26) 『ケルト妖精物語』井村君江訳、ちくま文庫、一九八六年、一九頁。

(27) "The Hosting of the Sidhe", *The Celtic Twilight*, London, A.H.Bullen, 1902, p.iv.

(28) The powerful and wealthy called the gods of ancient Ireland the Tuatha De Danaan, or the Tribes of the goddess Danu, but the poor called them, and still sometimes call them, the Sidhe, from Aes Sidhe or Sluagh Sidhe, the people of the Faery Hills, as these words are usually explained. Sidhe is also Gaelic for wind, and certainly the Sidhe have much to do with the wind. They journey in whirling winds, the winds that were called the dance of the daughters of Herodias in the Middle Ages,

Herodias doubtless taking the place of some old goddess. When the country people see the leaves whirling on the road they bless themselves, because they believe the Sidhe to be passing by. ("Notes to The Hosting of the Sidhe", *The Wind Among the Reeds*, London, Elkin Mathews, 1903, 4th ed., pp.65-66).

(29) "Into the Twilight", *ibid.*, p.13.

(30) "The Stolen Child", *Fairy and Folk Tales of the Irish Peasantry*, London, Walter Scott, 1888, p.60.

(31) 柳田国男『石神問答』聚精堂、一九一〇年、一七六頁。

(32) 柳田国男『遠野物語』新潮文庫、一九九二年、一九頁。

(33) 佐々木喜善《縁女綺聞》、『民俗　文芸特輯』第二号、一九三〇年三月。

(34) 柳田国男『先祖の話』(一九四六年)、『柳田国男全集13』ちくま文庫、一九九〇年、九六頁。

(35) 同前、九九頁。

(36) 同前、一六〇頁。

(37) 同前、六一頁。

(38) 同前、七九頁。

(39) 柳田国男《魂の行くえ》(一九四九年)、前掲『柳田国男全集13』七〇〇頁。

(40) 『先祖の話』、同前、七七―七八頁。

(41) 新谷尚紀《解説》、同前、七三四頁。

(42) 同前。

(43) "The Household Shrine", *Op. cit.*, p.38.

あとがき

牧野陽子

「小泉八雲のみた神の国、日本」の講演会が行われた平成二十九年六月三日は、さわやかに晴れわたった美しい日だった。土曜の昼下がりの明治神宮は参拝の人々で静かに賑わっていたが、原宿の帰りらしき若者に加えて、外国人観光客の多さが印象的だった。三々五々連れ立って参道を歩みながら、大きな鳥居を見上げるもの、神宮の杜の大樹の繁みに目をやるもの、中には、参道に敷き詰められた小石の音を確かめるかのように足元をふと眺めるものもいた。

そんな外国人の姿を見ながら、私は子供の頃、八年間の欧米生活から帰国して両親とともにお詣りしたときのことを思い出した。境内の樹々のたたずまいに安らぎを覚え、社殿を囲む深い杜が包み込んでくれるように思えて、日本に帰ってきたのだと理屈抜きに実感したのだった。家には神棚があったが、仏壇もあった。今もかわらない。そして思い返せば、何かあらたまってお詣りするときはお寺より神社に参拝するのに、家では神棚より仏壇の前で、特にお盆に、宗教的な感慨に浸るのである。どうしてそうなのか、あまり意識することもなかったが、教科書にのっている日本の宗教状況の説明を読んでも、何か足りないように感じた。だが、ラフカディオ・ハーンの文章を読むと、なるほどと腑に落ちることが多い。

明治初期、チェンバレンらがまず神道について論じたのは、異文化を理解するためにはその宗教を理解しなくてはならないと考えたからである。文化の根源にはそれぞれの宗教がある。ハーンが日本の民俗や文化について記した文章は、日本の宗教的感性の独自性を良くとらえている。と同時に、キリスト教以前の古層のケルトにも通じるようなイメージの広がりを見出せる点が興味深い。

現代の日本人がときに、みずからを〝宗教はとくにない〟などと述べるのは、そもそも〝宗教〟の定義自体をチェンバレンらに倣い、西洋の〝立派な宗教〟の条件をうのみにするからで、残念なことである。日本固有の宗教的心情はいかなるものなのか、そしてそれを言葉でいかに説明するか、私自身、このたび、改めて考えることができた。このような貴重な機会を与えて下さった明治神宮国際神道文化研究所と、平川祐弘先生、そして出版の錦正社に、心から感謝申し上げる。

What is Shintō?

Japan, a Country of Gods, as Seen by Lafcadio Hearn

Sukehiro HIRAKAWA

Yoko MAKINO

Kinseisha

What is Shintō?

Japan, a Country of Gods, as Seen by Lafcadio Hearn

Sukehiro HIRAKAWA

Yoko MAKINO

Published by
Kinseisha
544-6 Wasedatsurumaki-cho Shinjyuku-Ku,
Tokyo 162-0041 JAPAN
tel : +81-3-5261-2891
fax : +81-3-5261-2892
https://kinseisha.jp

Printed in Japan
ISBN978-4-7646-0137-6

神道とは何か

What is Shintō?

小泉八雲のみた神の国、日本

Japan, a Country of Gods, as Seen by Lafcadio Hearn

平成三十(二〇一八)年九月十五日発行
令和六(二〇二四)年四月十一日第三刷
※定価はカバーに表示してあります。

著　者：平川祐弘
　　　　牧野陽子

発行者：中藤正道
発行所：㈱錦正社
〒一六二―〇〇四一
東京都新宿区早稲田鶴巻町五四四―六
電　話　〇三(五二六一)二八九一
FAX　〇三(五二六一)二八九二
https://kinseisha.jp/
印　刷：㈱平河工業社
製　本：㈱ブロケード

ISBN978-4-7646-0137-6

Contents

Foreword

Sukehiro HIRAKAWA

On June 2, 2017 a lecture event commemorating the 60th anniversary of Japan –Ireland diplomatic relations was organized by the Meiji Jingū Intercultural Research Institute. More than three hundred persons attended the event sponsored by the Embassy of Ireland and the simultaneous translations from Japanese to English were provided. Ambassador Anne Barrington gave an opening speech.

The topic of the occasion was: "What is Shintō?" And the indigenous religion of Japan was explained in intercultural perspectives by the two speakers, Yoko Makino (professor Seijō University) and myself (professor emeritus, the University of Tokyo) through the mind's eye of Lafcadio Hearn(1850-1904), a writer of Irish heritage. Hearn, who is known to Japanese as Koizumi Yakumo was undeniably the first Westerner who discovered the importance of Shintō.

Hearn was born of an Irish father and of a Greek mother. First, I explained, referring to Hearn's parental background, his understanding of Shintō Japan based on his understanding of Greek *Ancient City* described by the French historian Fustel de Coulanges(1830-1889) and on Hearn's childhood experiences

gained in Ireland. Then Professor Makino discussed the images of Shintō shrines described in his work "A Living God." The two lectures were later printed in the number 18 issue of the *Kamizono,* the journal of the Meiji Jingū Intercultural Research Institute.

It was suggested that the two lectures be published in a booklet form, both in Japanese and in English. For the readability, we chose to write the English versions of our lectures.

As a result small discrepancies between the Japanese text and the English text exist. For example, in the English version the first part "the changing Western attitudes toward Shintō", and the third part "Irish interpretation" are more detailed because I added examples for those who may be less familiar with Shintō.

Yoko Makino and myself have given many lectures together on Lafcadio Hearn and other topics in various places of the world. Her graceful presentations have always been very helpful to me, as they are an ideal counterpart to my provocative arguments. We thank Ms. Elizabeth Wilkinson, who has given many precious suggestions to clarify our English versions. We thank Gūji Nakajima Seitarō and members of the Meiji Jingū Intercultural Research Institute for giving us the precious opportunity of publishing this book.

What is Shintō?

Japan, a Country of Gods, as Seen by Lafcadio Hearn

Sukehiro HIRAKAWA

I Changing Western attitudes toward Shintō

Is Shintō a new religion invented?

What kind of religion is Shintō? There are two diametrically opposed views about the indigenous religion of Japan.

Around the year 1900, two great Western interpreters of Japan were living in Tokyo. One was the writer Lafcadio Hearn (1850-1904) who was then teaching English literature at the Imperial University; the other was the scholar Basil Hall Chamberlain (1850-1935) who was the unrivaled dean of Japanese studies in the West before WWII. If Hearn might be called the Western discoverer of the values of Japan's native religion Shintō, Chamberlain was trenchant in his negative evaluation of Shintō. Though having been close friends for many years, they became estranged because of their differences over Japan's indigenous religion. Chamberlain, who was a Voltairian, made negative statements about religion, especially Shintō. He writes as follows in his *Things Japanese*:

> Shintō, which means literally 'the Way of the Gods,' is the name given to the mythology and vague ancestor and nature-worship which preceded the introduction of Buddhism into Japan…
>
> We would here draw attention to the fact that Shintō so often spoken of as a religion, is hardly entitled to that name even in the opinion of those who, acting as its official

mouthpieces today, desire to maintain it as a patriotic institution. It has no set of dogmas, no sacred book, no moral code.... Shintō had no root in itself, being a thing too empty and jejune to influence the hearts of men.

In 1912 Chamberlain wrote a more sarcastic article entitled "The Invention of a New Religion" which was published by the Rationalist Press Association of London. This time he condemned Shintō as something invented by the Japanese bureaucracy for the purpose of promoting veneration of the emperor and Japan as a modern nation-state. Chamberlain's view was, and still is, authoritative, and other similarly critical views followed, mostly written by Western ecclesiastics. In 1922 appeared "The Political Philosophy of Modern Shintō: a study of the State religion of Japan" by D. C. Holtom. During the war years, in the West, it was argued that State Shintō or Emperor-worship was the backbone of the fierce fanaticism of the Japanese military.

While Chamberlain and his followers' negative views of Shintō were much appreciated in the Allied nations, Hearn, considered a spokesman for Japan, was ignored by the Americans and the British. Lafcadio Hearn, who had become a naturalized Japanese citizen and assumed the name Koizumi Yakumo, seemed for a time to have been obliterated from the Western consciousness.

On the other hand, in twenty-first century Japan, we can see

that Shintō apparently has not been rejected. Meiji Jingū, a great Shintō shrine dedicated to the late 19th century Emperor Meiji and Empress Shōken, attracts not only Japanese visitors but also many foreign tourists. Lafcadio Hearn, alias Koizumi Yakumo, is widely read in his adopted country. In this contradictory situation, the fluctuations in the fortunes of the national religious culture, as well as the changing Western attitudes toward the Japanese native religion, are worth consideration.

Why is Hearn's book, *Kwaidan,* with its research into the ghostly world of Japan still attractive to readers? Are his travel sketches written in Matsue, the city he described as the chief city of the province of the gods, and his interpretations of Shintō correct and worth reading?

Western depreciation of Shintō

In 1874 Western scholars of Japan, gathered in the open port city of Yokohama, held a symposium and concluded that Shintō was doomed to early extinction. They were surely mistaken; through many fluctuations, Shintō has held its position together with Buddhism as Japan's most important religion.

Embarrassed by his early failed prediction, Chamberlain, on his return to Europe after a stay of more than thirty years in Japan, was psychologically pressed to explain the nationalistic revival of Shintō. The rationalist Chamberlain's harsh criticism of "Bushidō or The Invention of a New Religion" was appreciated by Christian missionaries. Their evangelizing efforts

were not always successful in Japan, and they, too, were of the same opinion as Chamberlain. Many people began to criticize Shintō, calling it the state religion. Those Westerners who took for granted the superiority of Christian civilization could not allow those jingoistic Japanese to take as an act of faith the superiority of Shintō emperor-worship. For them State Shintō was considered to be the great obstacle to Christianization of Japan.

Villain's part played by Shintō

Are these changing Western attitudes toward Shintō logical and reasonable? We are afraid that American criticisms of Shintō during WWII were more political than religious. Is it not strange for a religion that was so "empty" and "jejune" to become, only seventy years later, in 1944 the backbone of Japan's patriotic nationalism? When the Japanese began to launch *kamikaze* attacks, young pilots crashed their bomb-laden planes into their targets, mainly naval ships. Americans explained their suicidal attacks as acts of religious fanaticism. Was it really so?

I myself would have crashed my plane into the enemy bomber if I could have known beforehand that the approaching American super flying fortress was going to drop an atomic bomb on a Japanese city.

I was brought up during the 1930s and 1940s. If Shintō was really the state religion of Japan, there should have been a class about the religion in public schools. There was no such class

in which Shintō was taught. It was true that emperor-worship was stressed in Japan as in any belligerent country. There were without doubt manipulations of Shintō by ultra-nationalists in the years of the war. Was it, however, possible for a religion so "empty" and "rootless" to transform itself into such a moral force by being artificially made into State Shintō?

Among Japanese people the term *kokka* Shintō, the Japanese translation of the term State Shintō, is never heard. Was State Shintō a reality or was it a quasi-imaginative interpretation, a product of Allied Forces wartime propaganda? I do not say that it was an intentionally anti-Shintō campaign or a fabrication of missionary prejudice, but there were inevitably elements of racism in disguise, a variation of the yellow peril idea in wartime American perceptions of "Japs."

We were more or less misled by preconceived ideas. Even today some Western journalists report that in Japan of 2016 there is a dangerous nationalistic revival of Shintō conducted by Japan's Prime Minister Abe Shinzō, who chaired a meeting of G7 leaders near the Ise Grand Shrine, a Shintō shrine dedicated to the ancestors of the Imperial House.

Let us examine what Shintō is, and clarify why it was possible for Hearn to understand so sympathetically the ghostly world of the Japanese.

What is Shintō?

Travelers who come to visit prominent Shintō shrines such as

Ise Jingū or Izumo Taisha generally leave with the impression that there is an authentic religious atmosphere in these serene sanctuaries. In Tokyo too, though built only a century ago, Meiji Jingū is very impressive with its torii gates, its long approaches through forests and, finally in the deep, its wooden Hall of Worship and Main Sanctuary, before which people stand praying and clapping twice. The shrine together with its surroundings gives a feeling of peace that washes the hearts of visitors in the middle of a gigantic city: when visitors go there they feel that they are in a sacred space; this place is clearly not a secular public park. Even non-Japanese visitors are likely to feel a sense of reverence, even if they know nothing about Shintō.

Is this indigenous religion very active in this island country? In Japan, there are about 80,000 Shintō shrines, 70,000 Buddhist temples, and 3,000 Christian churches. The number of religious establishments seem to be considerably high if compared with the total number of elementary schools which was about 24,000 at the beginning of the twenty-first century. There are around 22,000 Shintō priests in Japan today. It is true that there are many jinja, or Shintō shrines, which have no priests or guardians. In depopulated rural areas part-time Shintō priests take care of vacant shrines, the number of which is increasing at an alarming rate. A question we would like to raise then is: are Japanese people today actively religious or not? Do they really believe in Shintō deities?

Are most Japanese Shintoists?

Opinions differ as to the religious nature of Japanese. Foreigners who visit the Meiji Shrine on New Year's Day are struck by the number of Japanese who pay their respects there: more than three million people walk in a long procession to pray before the Hall of Worship from early in the morning on January first. Japanese visitors to Meiji Jingū on New Year's Day decidedly outnumber Catholics who gather before the Vatican Papal Palace on the Christmas Day. Foreigners who see with their own eyes the number of people who gather and pray not only at Meiji Jingū but also at shrines and temples across Japan on the first three days of the new year must conclude that the Japanese are a very religious people.

According to Edwin Reischauer's *Japan: The Story of a Nation,* the underlying essence of Shintō remains little changed since prehistoric times. During the militaristic era, it was used through an emphasis on the early mythology connected with it, as an inspiration for national solidarity. But despite the later emphasis on Tennō (Emperor) worship, Shintō is essentially a religion which centers around the worship of nature and reverence for ancestors, and a sense of communion with them and the spirits of nature has not changed. Young Japanese seem to come to Meiji Jingū attracted more by the shrine's serene and austere atmosphere than by the memory of the Meiji Emperor and Empress, to whom the shrine was dedicated.

While initial impressions may suggest that Japanese

are religious people, inquiry leads to a more varied opinion. Questioned about their religion, quite a few Japanese do not answer positively. They are rather shy and evasive about this issue. If they do not have a firm belief in a religion, they do not positively declare their religious identity. Even though they will pray before a Shintō shrine, ordinary Japanese do not always call themselves Shintoists. This attitude is a clear difference from Christians, probably because the latter are more self-affirmative, as Japanese Christians religiously belong to a minority group. It is true that those who adhere to new religions are generally more vocal. It is also true that some Buddhist devotees profess their faith more openly. However, even those Japanese who answer that they have no religion, are likely to pray before a Shintō shrine from time to time and invite Buddhist monks for the funeral services of their family members in accordance with social customs. These people too are often nominally counted as Buddhists in the statistics taken by religious organizations, but if asked individually many of them will probably say they have no religion.

Wartime American understanding and misunderstanding of Shintō

This reluctance or indifference of the majority of the Japanese in acknowledging their own religious identity seems to derive from two reasons, unconscious and conscious.

First, this has partly something to do with the very nature of

the Shintō religion itself. It has no canonical scriptures to define what Shintō is, while there are sutras for Buddhist devotees, the Bible for Christians and the Koran for Muslims. Westerners seem to set a great value on the Bible, while ordinary Japanese do not set a religious value on the *Kojiki*, which is the Shintō classic, compiled in 712, and which contains many mythological legends concerning Shintō deities. That must be a reason why most Japanese consider themselves to be less religious than Westerners or Muslims. So long as they have this kind of hesitant feeling, they cannot positively profess that they are Shintoists. Most Japanese think vaguely that while Westerners go to church every Sunday, they are not so assiduous in their Shintō religious practices in daily life. They know that while Muslims kneel and bow in the direction of Mecca five times a day and that some of them learn by heart many passages of the Koran, Japanese today do not worship so punctually. Going to pray at a Shintō shrine on New Year's Day is a widespread custom, but there are no sermons on the part of Shintō priests, and there are no formulae for Shintō prayers: Japanese simply clap their hands and then pray silently.

Second, the reluctance to call oneself a Shintoist has had something to do with WWII. During the war, the Allied Nations, knowing little of Japan, interpreted Japan as the Asian counterpart of Nazi Germany. They tried to explain militaristic Japan by analogy. They considered Shintō, together with its mythologies to be a source of Japanese ultra-nationalistic

fanaticism, comparable in its role to the German mythological belief in the superiority of the Aryan race. The story was that Japan made Shintō the State religion and that is why Tennō was called God-Emperor and soldiers who died for their country were deified. But the notion of deity or *kami* in Japanese is quite different from the Judeo-Christian concept of God. The English translation of the word *arahito-gami* into God-Emperor was misleading. In Shintō the worship of the Sun Goddess, deities and ancestors is part of the much broader worship of wonders and mysteries of nature: everything which inspires a sense of awe might be called a *kami.* A high mountain, a volcano, a waterfall, a large tree, an unusual person have all become objects of worship and been called *kami.* Kami means etymologically something high.

The so-called Shintō directive of the American Occupation authorities

It is true that many Japanese share this sense of awe toward things superior to ordinary humans. The question is, was this belief really the cause of fanatical Japanese patriotism? American interpreters of Japan, many of whom were Christian missionaries or their children educated in American or Canadian schools in Japan, believed or insisted so. The emperor-worship and Shintō became in this way the archenemy of Western Christian democratic nations, as they were considered to be the essential

elements composing the basis of Japanese ultra-nationalism. During the war years, the Allied propaganda exaggerated that anti-Shintō interpretation. In order to break down the spiritual backbone of the Japanese fanaticism, American bombers dared to burn down the Meiji Shrine dedicated to the Meiji Emperor on April 14, 1945. I am much intrigued to know who really was responsible for ordering the bombing.

General MacArthur and others who sympathized with the idea of the Christianization of the defeated Japan favored strong measures against State Shintō: the American Occupation authorities issued four months after Japan's surrender one of the most questionable directives, the so-called Shintō directive. By the memorandum dated 15 December 1945 the Supreme Commander for the Allied Powers abolished governmental sponsorship, support, perpetuation, control, and dissemination of State Shintō (Kokka Shintō, Jinja Shintō). The directive was very effective; it was stronger than the thousands of incendiary bombs dropped on the Main Sanctuary of Meiji Shrine, as its effects were psychologically more enduring.

Under the American Occupation and even long after the word Shintō became practically taboo among Japanese intellectuals, something which should not be touched lightly and openly, Kōgakkan School, one of the two higher educational institutions specializing in Shintō studies, and situated near Ise Jingū, was closed.

What kind of divinity did the Emperor renounce on January 1st, 1946?

The Imperial House itself had to clarify its position in order to survive the critical years following Japan's surrender. No one was more troubled by vainglorious mottos of modern Shintō mythology than the emperor himself. On January 1st, 1946 Emperor Hirohito by proclamation denied the 'divine' nature of the Japanese Emperor. In the Imperial Rescript it was announced:

> "The ties between Us and Our people have always stood upon mutual trust and affection. They do not depend upon mere legends and myths. They are not predicated on the false conception that the Emperor is divine, and that the Japanese people are superior to other races and fated to rule the world."

When the proclamation was issued, the *New York Times* printed in large letters "Deity Idea Blasted." It was also widely reported that "His Majesty disavows entirely any deification or mythologizing of his own Person" etc. On the Japanese side, the proclamation was commonly known as '*Tennō no ningen-sengen*' (Tennō is a human being declaration). The reaction in Japan to the so-called Japanese Emperor's Renunciation of Divinity, however, was not the one of shock that foreign correspondents gathered in Tokyo at that time had anticipated. (See, for example,

the editorial of the *Nippon Times,* Jan. 5, 1946, or the *Time,* Jan. 14, 1946). Western wartime correspondents were apparently misled by their Western preconceptions.

Who held the false conception of 'God-Emperor' of Japan?

During the war years, Japanese children had been taught the concept of "eight corners of the world under one roof" (hakkō ichiu). The notion simply means "all humans are brothers" and no racial indoctrination such as "the Japanese people are superior to other races and fated to rule the world" was consciously made in Japanese classrooms of the1930s and 40s. Since the time of the Versailles peace conference in 1919 Japan's open diplomatic objective was racial equality. It should be added, that despite the strong assertion of Christian missionaries and some Western Japanologists that Shintō became the State religion of Japan, Shintō was not taught in public schools even at the height of the war years. Of course, it was natural and almost inevitable that in years of national crisis, worship or deification of the sovereign became intense. Japan's case was not an exception. However, has Hirohito ever been a God-Emperor to the Japanese? Although there was intense Emperor-worship throughout the war years, the Japanese did not believe that the Emperor was divine in the Judeo-Christian meaning of the word 'God.' That was the reason that most Japanese remained calm upon hearing the so-called Emperor's Renunciation of Divinity.

The famous passage of the Rescript that "the false

conception that the Emperor is divine, and that the Japanese people are superior to other races and fated to rule the world" was written by Japanese at the suggestion of a British scholar, R. H. Blyth (1898-1964) who had remained in Japan during the war years. It should be noted that his book *Zen in English Literature and Oriental Classics* was published by Hokuseido Press, Tokyo, in 1942, a rare publication of a book written in English by a wartime internee. Blyth was later known for his studies of haiku and its relation to Zen Buddhism.

The Imperial Rescript was not a proclamation imposed by the Allied Powers, as had been widely assumed by Western correspondents and most Japanese. It was drafted as a Japanese initiative, if R. H. Blyth could be counted as being on the Japanese side. Blyth was aware of the misunderstanding concerning the "divine nature" of the Japanese emperor, the misconception had been widely spread in the world. Blyth was very much afraid of its bad effects, and therefore, recommended to Admiral Yamanashi, principal of Peers School and Blyth's most respected superior, that this point be clarified to the rest of the world. Listening to his proposal, Admiral Yamanashi acted promptly. He immediately went to see Ishiwata Sōtarō, the Imperial Household Minister, to have the proclamation issued on New Year's Day.

Who held that "false conception"? Wartime Japanese? Or wartime Americans? Blyth said it was better for the Japanese Emperor to renounce the divinity, which Americans thought he

had and which he did not have anyway.[1] Blyth's suggestion was made, in fact, to remove the misleading notion of God-Emperor.

The Japanese notion of Shintō god and the Judeo-Christian notion of God

What kind of difference is there between the Japanese notion of Shintō god and the Judeo-Christian notion of God? An easy way for Westerners to understand it is through another analogy.

French historian Fustel de Coulanges (1830-1889) writes in the chapter "the Domestic Religion" of his masterpiece *La Cité Antique* as follows: "To make a man a god appears to us the reverse of religion." This is, however, not a critical comment on Shintō. The French historian refers to the family-centered belief system of "the Ancient City" of the Mediterranean world. In Semitic religions, it is God that creates man, but in the ancient Greek and Roman world as well as in Japan to make a man a god is the order of things.

Shintō rehabilitated

What was the Japanese attitude toward Shintō after WWII? Not knowing the difference between State Shintō and natural Shintō, intellectuals became careful not to mention the name of Shintō itself. Books on Ways of Gods written by the eighteenth century National Scholars (kokugakusha) like Motoori Norinaga (1730-1804) and Hirata Atsutane (1776-1843) were practically banned.

There was a kind of alliance between the Occupation

Authorities and Japan's leftists immediately after the war. One example of the political purge was the case of the writer Yokomitsu Riichi (1898-1947). He discussed the problems of the intercivilizational relationship of Japan with the industrialized nations of the West in his masterpiece *Ryoshū,* written before, during and after WWII. He lost his literary position precisely because he had referred to Shintō in favorable terms. Sharply criticized, Yokomitsu, a promising writer as well-known as Kawabata, died despairing. I do not think that he was in any way a Shintō fanatic; he straightforwardly describes the psychology of a Japanese intellectual in a nation trying to catch up with the more advanced nations of the West.

A most revealing anecdote in this regard is the frank recollection of the eminent literary critic Saeki Shōichi (1923-2016), born of a family of Shintō priests. Arriving in San Francisco in the summer of 1950 as a GARIOA scholarship student, he had to present a card for entry. There was a question asking his religion. Saeki hesitated, as he was afraid that if he wrote "Shintō," he would not be permitted to enter the United States. This was the extent of Saeki's post-war inhibition. When Saeki confessed that anecdote in 1983 in his farewell lecture to Tokyo University, I empathized with this feeling.

However, despite the rigorous anti-Shintō politics of the years following Japan's defeat and their enduring effects on the psyche of overly sensitive intellectuals, the Japanese public continued to pay homage to Buddhist temples as well as Shintō

shrines. It is true that the ritual of emperor-worship was not so formal as before.The number of visitors to shrines such as the Meiji Jingū on New Year's Day continues to increase. The visits are not associated with State Shintō but with customary habits. They do not think of the Emperor and Shintō as being primarily responsible for Japan's involvement in World War II. Famous Shintō shrines prosper without governmental sponsorship or support. Yasukuni Shrine, which is 'the Arlington of Japan', commemmorates Japan's wartime dead. It is in gratitude toward and out of respect for those who gave their lives for their country, that Japanese visit Yasukuni Jinja.

To condemn militaristic Japan with analogies to Nazi Germany is a mistake. When Hirohito, the Emperor of Japan, passed away in 1989, the state funeral was attended by many Western dignitaries, many of whom were heads of state or presidents of Japan's former enemy nations. It was apparent that Hirohito had not been the Hitler of the Far East. Though the ceremony was not conducted entirely according to Shintō ritual, it was clear that Shintō, not as a State religion, but as the native religion of Japan, of which the Emperor is the great priest, had been rehabilitated.

Every time an American President visits Japan, it is now almost customary for him to pay respects at the Meiji Shrine. On February 17, 2009, Secretary of State Hillary Clinton, after having participated in ritual purification before the Hall of Worship, declared that she came to the Meiji Jingū to "show

respect for the history and culture of Japan."

Shintō under the post-war Constitution

What part does Shintō play in the daily life of Japanese today? Most Japanese do not know much about Shintō. It is true that some traditional Japanese houses have a shelf for Shintō gods, a kamidana (god-shelf) and/or a family Buddhist altar, a butsudan. But modern apartment buildings constructed by public corporations do not have a special space for a butsudan nor a special shelf for a kamidana, while they always have a shelf for a television set in a room. Formerly a Japanese rural community had a village shrine, chinju-no-yashiro, dedicated to guardian deities, of which the precincts served as grounds for festival dances; today dwellers in modern apartments have a community playground. There may be a culture center too, but without any site reserved for religious use. This is a result of the American Shintō directive, which prohibits public support for Shintō or any religious activities. The American-made Constitution of Japan also insists on the strict separation of religion and politics.

Coexistence of Shintō and Buddhism

There are, however, other curious statistics established by Buddhist temples and Shintō shrines. There are reportedly about 87,000,000 Buddhists and about 91,000,000 Shintoists. In Japan today, Buddhism is spoken of as 'sōshiki Bukkyō', meaning Buddhism for funerals only. Most Japanese are connected

to temples because of their Buddhist funerals, and related ceremonies and cemeteries. That is the reason so many Japanese are counted as Buddhists. Then how about Shintoists? Those who live in certain areas under the protection of a community deity are automatically numbered as Shintoists. Incidentally, the total of both Buddhists and Shintoists which is 178,000,000 exceeds by far the population of Japan which is about 120,000,000. Some simple-minded people find this curious or even ridiculous, believing that people cannot simultaneously belong to more than one religion, and do not understand the compatibility of Shintō with other religions. Shintō with its eight million deities is not a monotheistic religion with a jealous God. It is of nature, not exclusivist. And we should add that many of the first generation Western scholars of Japan did not acknowledge Shintō as a religion. The Japanese government also accepted that interpretation at the beginning of the twentieth century. It was, therefore, considered permissible for all Japanese schoolchildren to pay respects to Shintō shrines, as civil acts of reverence. From that time some Western Christian missionaries began belatedly to criticize that governmental interpretation of Shintō rites as the deification of the emperor or creation of State Shintō. Many Japanese folklorists too protested against that interpretation, insisting on the religious nature of the animistic cult of the Japanese.

Some present-day Japanese cynical interpretations

There are many Japanese who openly say, "I lack a religious nature, and have never believed in any religion." Some such people comment sarcastically that young Japanese, having nothing else to do on New Year's Day, go to Shintō shrines, and that they may dress up for the occasion, but it is like Parisians going for a promenade to the Champs-Elysées in their Sunday best. They say that those who go to as far as Ise Jingū or Tsurugaoka Hachiman in Kamakura enjoy their trip as tourists. There may be some truth in these cynical remarks, but the act of someone who offers a donation and prays in front of a shrine should generally be called religious. In other countries also there is an element of tourism enjoyed by those who piously make a pilgrimage to Rome, Santiago de Compostela, Canterbury or Mecca.

Moreover, some scholars of religion propose a different kind of criterion to measure the religious nature of a nation. If you judge Muslims as deeply pious, seeing them kneel down five times a day for worship, then you may also judge Japanese as people of piety, witnessing how frequently they visit their ancestors' graves. As to the religious meaning of tombs, we will see it later in Fustel de Coulanges' observations of them.

Secularization of Japanese society

It is true that the secularization of Japan has been happening since the Edo period, and today there is a common recognition

among the majority of Japanese that to be too religious tends to be a nuisance. Any person who is overzealous is called "Waga Hotoke tōtoshi" (My Buddha is Holy). This teasing expression over one's overzealous adoration of one's object of cult seems almost sacrilegious to subjectively sincere believers in religion. Though there is no sarcastic mockery in the expression "Waga Hotoke tōtoshi," it is undeniable there is an ironical overtone. This remark might not be universally accepted, if we replace the word My Buddha with My Christ as "Waga Kirisuto tōtoshi" or with My Allah as "Waga Araa tōtoshi". The last one should not be pronounced imprudently in Islamic countries. The old expression "Waga Hotoke tōtoshi" suggests that Japanese appreciate religious reticence or religious tolerance. They do not appreciate a vocal assertion too vehement of any specific religious belief. Even though they go to pray to Shintō shrines and even though they make cash offerings, very few Japanese declare themselves to be Shintō devotees. They might be afraid of being regarded as Shintō fanatics.

Shintō as a half dormant religious feeling

Some Westerners convinced by the simplified wartime propaganda that State Shintō has been the religion of Japan are puzzled by this religious ambivalence. Is this indicative of the degree of secularization of Japanese urban societies? Or does the Japanese attitude of indifference toward Shintō have something to do with the successful brain-washing of the American

Occupation? I do not think so.

Today Japanese students learn more about Christianity than Shintō, but the strength of Shintō resides in the fact that this religious feeling is alive in the heart of those who were born and raised in the Japanese archipelago. Taught or untaught, this feeling is so unconsciously widespread that people awaken to the awe inspiring sentiment, for example, when they look at the sunrise on January 1st, or admire Mt. Fuji from a train's window, or become conscious of the continuation of life of the Japanese nation, symbolized by the unbroken line of her sovereigns. A haiku by Naitō Meisetsu (1847-1926) suggests this Shintō feeling shared by the majority of the Japanese: Ganjitsu ya ikkei no tenshi Fuji-no-yama. This haiku was translated into English by R. H. Blyth as follows:

> The First Day of the Year:
> One line of Emperors;
> Mount Fuji.

Religious feeling quiescently dormant in one's heart is something deep-rooted, which awakens at certain important moments of our life. It is strong, as it continues to live unconsciously in our five senses. Shintō is a religious sentiment connected with the flow of time, which is compatible with other religions.

II Lafcadio Hearn and his interpretation of Shintō

Western 19th century interpretation of Shintō

Now let us check Western interpretations of Shintō throughout the nineteenth century. Pioneering and influential British scholars of Japan have rather denigrated the native religion of the Japanese. We have already printed Basil Hall Chamberlain's view written in his 1891 edition of *Things Japanese*:

> Shintō so often spoken of as a religion, is hardly entitled to that name even in the opinion of those who, acting as its official mouthpieces today, desire to maintain it as a patriotic institution. It has no set of dogmas, no sacred book, no moral code.... Shintō had no root in itself, being a thing too empty and jejune to influence the hearts of men.

This view that Shintō was doomed to extinction was shared by practically all the leading Japan interpreters residing in Japan in the early and middle years of the Meiji era. William George Aston writes as follows in his *Shintō, the Way of the Gods* (London, 1905):

> As compared with the great religions of the world, Shintō, the old *Kami* cult of Japan, is decidedly rudimentary in its character. Its polytheism, the want of a Supreme Deity, the comparative absence of images and of a

moral code, its feeble personifications and hesitating grasp of the conception of spirit, the practical non recognition of a future state, and the general absence of a deep, earnest faith—all stamp it as perhaps the least developed of religions which have an adequate literary record.

Who was Lafcadio Hearn

The only Westerner who clearly expressed an opposite view was the writer Lafcadio Hearn who was the first Western discoverer of the importance of Shintō. However, the most widespread view about this writer was unfortunately written by Chamberlain in his posthumous edition of *Things Japanese* (1939). Hearn was introduced as follows:

> Lafcadio Hearn (1850-1904) was born at Leucadia, one of the Ionian Islands. His father was an Irish doctor, his mother a Greek; but the couple soon separated, abandoning their children... He found his way first to London, then to the United States, where being penniless and timid he suffered many hardships sometimes even sleeping in the street. At length he found employment in the newspaper office of a city in the Middle West... He had begun as a printer's devil but the illness of a fellow worker in the office gave him the opportunity for showing his talent. The account which he gave of a horrid murder committed just at that time caused a sensation in the whole countryside. But

his prosaic middle-class surroundings weighed on the spirit of the romantic youth. He therefore moved southwards, where, for a season New Orleans with its old French houses and its Creole customs handed down from a picturesque past, were more congenial to his nature. Nevertheless New Orleans failed to hold his permanent affection, and he sailed for La Martinique. His impressions of the tropics were given to the world in a charming volume entitled *Two Years in the French West Indies*. There also, he soon wearied.

Now verging on forty, he decided to seek pastures new in distant Japan where he landed, as always, with an empty purse. Fortunately his reputation as an author had preceded him. Soon after his arrival the Japanese Government appointed him Professor of English in the remote provincial town of Matsue, and later promoted him to the Imperial University of Tokyo. During the first few years his enthusiasm was at fever pitch; he had found the Land of the Gods, and his *Glimpses of Unfamiliar Japan* glorified the Japan which he imagined he saw.

This article was accepted in the West as authoritative. There is a sarcastic tone in Chamberlain's description of Hearn. He was described as someone working as a hired agent promoting Japan's propaganda. Chamberlain may say what he may, but the doomed Shintō has survived. Who was wiser then, Lafcadio Hearn or his far more learned contemporaries?[(2)]

In retrospective, Hearn was in the 1890s the only Westerner who recognized the importance of Shintō, the indigenous animistic cult of Japan. A question inevitably arises: how was it possible for Hearn to make the very perspicacious sociological and religious observations which he modestly called 'glimpses' or "attempt at interpretation"? His success as a Japan interpreter is due mostly to his earlier experiences in Martinique. He repeated what he had done in the French West Indies.

Hearn's approach to Japan

Recent Cambridge graduate Maud Rowell writes in her article, "Ten Days in the Land of *Kami*" about her experience of Shintō, which she describes as being spun from the threads that make up the very fabric of the Japanese psyche. The heart of the problem is how to demonstrate that feeling convincingly and in rational terms.

More than a century ago Lafcadio Hearn was of a similar opinion. He was, therefore, of an opinion diametrically different from all notable Japan experts of the day. Hearn writes in his article, "A Living God" as follows: "You cannot mock the conviction of [...]millions of people while that conviction thrills all about you like the air, —while conscious that it is pressing upon your psychical being just as the atmosphere presses upon your physical being."

Hearn was confident even before coming to Japan that an indigenous belief of an island people such as the Japanese,

Shintō, could not be easily eradicated by any imported religion. Hearn foresaw that as it had survived the introduction of Buddhism more than a thousand years before, Shintō would survive the Civilization and Enlightenment movement of the late 19th century, too.

This fundamental conviction of Hearn's had been formed earlier by his experiences gained during his two years in the French West Indies. Hearn belonged to the first generation of cultural anthropologists and successfully integrated himself into the daily life of the local population. An adroit linguist, he learned the Creole language of the black inhabitants of Martinique. We guess Hearn had intimate contact with local women, and gathered Creole folklore and legends told him by ex-slaves. In this way, as a participant observer of their life, Hearn became the first Westerner to find and record their ghostly world. French missionaries boasted that they had completely converted all the black inhabitants to Catholicism. The world of 'revenants' Hearn found in the island was haunted by ghosts and their psyche was far from Christian. Thanks to the reputation Hearn got as the author of *Two Years in the French West Indies,* he was successively given a chance in 1890 to seek pastures new in the remote provincial town of Matsue, the chief city of Shintō gods in Japan. He declared to the editor of Harper's that "the studied aim would be to create, in the minds of the readers, a vivid impression of *living* in Japan, —not simply as an observer but as one taking part in the daily existence of the common

people, and *thinking with their thoughts.*"

Hearn and his interest in the world of Japanese dead

Before coming to Japan, Hearn had carefully read books written in English and French on Japan. He studied the *Kojiki, Records of Ancient Matters* translated by Basil Hall Chamberlain.

Hearn's interest in Shintō Japan was serious. As he had done in the French West Indies, Hearn first wrote travel sketches, in which he described not only the world of the living but also the world of the Japanese dead: one of his books was, in fact, entitled *In Ghostly Japan.* His first book *Glimpses of Unfamiliar Japan* is full of fresh first impressions and folkloristic observations. While missionaries were antagonistic toward Japanese native religion, Hearn tried to understand it sympathetically. For example, in the chapter "Bon-Odori" he writes, "everywhere the signs of the gentle faith appear... even the very landscape betimes would seem to have been molded by the soul of it, where the hills rise softly as a prayer." Hearn was first among Western travelers to Japan to recognize numerous living testimonies to Shintō in the province of Izumo, where he passed fourteen months as a teacher of English.

Second, as he had done in Martinique, Hearn collected ghost stories and oral legends which he later retold in books such as *Kwaidan.* Hearn's interest in the ghostly world of Japanese did not stop at these folkloristic and literary levels. Third, he tried to interpret Japan from a religious perspective, by exploring

the world of the Japanese dead and explaining it sociologically. It was an audacious attempt.

Hearn was conscious that he was the only Westerner who recognized the importance of Shintō for the Japanese. Hearn had early lost his faith in Christianity, and he did not like missionaries, either Protestant or Catholic. He writes in the first chapter of his last work *Japan, an attempt at interpretation* as follows:

> Hitherto the subject of Japanese religion has been written of chiefly by the sworn enemies of that religion: by others it has been almost entirely ignored. Yet while it continues to be ignored and misrepresented, no real knowledge of Japan is possible... And surely there can never be any just estimate of Japanese literature, until a study of that literature shall have been made by some scholar, not only able to understand Japanese beliefs, but also able to sympathize with them to at least the same extent that our great humanists can sympathize with the religion of Euripides, of Pindar, and of Theocritus.

Hearn, from his previous experience in Martinique, knew how not to exaggerate the effects of later religious superimpositions. After fourteen years in Japan, he writes in the second introductory chapter of *Japan, an Attempt at Interpretation* as follows:

But Japanese civilization is peculiar to a degree for which there is perhaps no Western parallel, since it offers us the spectacle of many successive layers of alien culture superimposed above the simple indigenous basis, and forming a very bewilderment of complexity. Most of this alien culture is Chinese, and bears but an indirect relation to the real subject of these studies. The peculiar and surprising fact is that, in spite of all superimposition, the original character of the people and of their society should still remain recognizable.

It is apparent that Japan, a country which had remained for more than fifteen hundred years of its history under Chinese influence, finds itself still very different from its gigantic continental neighbor. It would be then obvious that Japan keeps its original character after one century and a half of Western influence. Though it looked anachronistic, Hearn focused his attention on Shintō, "the least developed of religions with a literary record," toward the end of his fourteen years of life in Japan.

What kinds of bookish knowledge and personal experiences on the spot had formed Hearn's background for his sympathetic understanding of ghostly Japan? Apart from his Martinique experiences, there are other possibilities. A Greek interpretation may be counted as one of them.

Toward a Greek Interpretation

Though having no solid knowledge of Greek, he had a partiality for things Greek. On his arrival at Matsue, the chief city of the province of Shintō gods, he began to compare the polytheistic Japan with the pre-Christian ancient Mediterranean world. In the opening pages of *Japan, an attempt at interpretation* Hearn writes about Japan "a civilization that can be termed imperfect only by those who would also term imperfect the Greek civilization of three thousand years ago." Like many people brought up in the latter half of the nineteenth century, Hearn believed in a linear development of history. That is why Hearn, as a believer in evolutionary progress in nations, writes in his introductory chapter as follows:

> ......to witness the revival of some perished Greek civilization, —to walk about the very Crotona of Pythagoras, —to wander through the Syracuse of Theocritus, —were not any more of a privilege than is the opportunity actually afforded us to study Japanese life. Indeed, from the evolutional point of view, it were less of a privilege, —since Japan offers us the living spectacle of conditions older, and psychologically much farther away from us, than of any Greek period with which art and literature have made us closely acquainted.

Hearn is interested in parallels between the pre-Christian Greek world and nineteenth century Japan. He continues:

> Hellenic civilization at its best represented an early stage of sociological evolution; yet the arts which it developed still furnish our supreme and unapproachable ideals of beauty. So, too, this much more archaic civilization of Old Japan attained an average of æsthetic and moral culture well worthy of our wonder and praise. Only a shallow mind—a very shallow mind—will pronounce the best of that culture inferior.

***The Ancient City* by Fustel de Coulanges**

Many Hearn biographers refer to Herbert Spencer (1820-1903) as his master guide. No less important than the English philosopher is the French historian Fustel de Coulanges (1830-1889). Hearn had already read Fustel's *La Cité Antique* (the Ancient City) in his American days and used the name Coulanges in his first novel *Chita* published in 1889. He later read it again in his Kumamoto days and wrote to Chamberlain in the letter dated June 10, 1893 as follows:

"By the way, have you read *La Cité Antique* by Fustel de Coulanges? I suppose you have. I am reading it for the second time, studying the curious parallels between the ancient Indo-Aryan family, home-worship, and beliefs, and those of Japan. In some matters the parallels are wonderful."

In his Tokyo days Hearn bought a copy of *La Cité Antique* edition Hachette 1898 and read it again most scrupulously, There are about thirty-eight underlines indicating Hearn's keen interest in the so-called parallels. Hearn tried to explain Japanese society by using Fustel's description of ancient beliefs and the family of the Mediterranean world. Let us have a look at Hearn's conscious attempt at interpretation of Japan, which was posthumously published in 1904. The book was based on his daring analogies of Japan with Ancient Greece.

Creation versus Generation

The most fundamental difference between Japan and Western nations is the fact, obvious indeed yet constantly overlooked, that the Japanese are mostly not Christians. What is the fundamental difference between them? Westerners know almost nothing about the indigenous religion of the Japanese, and the Japanese themselves do not know how to explain Shintō.

Since the time of Matteo Ricci Catholic missionaries used the Chinese word *tiānzhŭ* for Deus, the Japanese pronunciation of it is *tenshu*. However, Protestant missionaries began to use the word *kami* for God, in order to facilitate evangelization work. It is from the use of the same word *kami* for both Shintō deity and the Christian God, that the confusion arises.

The adherent of any Semitic religion understands the concept of a Being all-wise, all-powerful, the incarnation of Good, and therefore the world is God's creation. Humans are

his creatures, and they will not become gods after their death. While in Shintō, those who pass away, will become gods. There are, therefore, god-shelves in Japanese homes, where ancestors are worshiped. Japanese students find it strange that a human being is called in English a creature because there is no notion of creation in Shintō. As to the origin of mankind, Japanese think that they were generated. In monsoon-prone geographies like Japan's, things are spontaneously generated like mold. This feeling of autogenesis is well depicted in the opening chapter of the *Kojiki, Records of Ancient Matters*: "The Deities were born next from a thing that sprouted up like unto a reed-shoot when the earth, young and like unto floating oil, drifted about medusa-like."

As there is no notion of creation, there is no notion of God the Creator. Who, then, becomes a god? To make a man god? Unthinkable, Fustel de Coulanges writes in chapter IV of Book First of the *Ancient City*:

> Faire de l'homme un dieu nous semble le contre-pied de la religion.

For the French historian of the nineteenth century to make a man a god appears to be the reverse of religion. But this is not Fustel's criticism of Shintō Japan. It was to explain the ancient belief of the Romans. Filled with wonder, Hearn continues his explanation by using the parallels.

No distinction is made among the dead

Who then becomes a god? In the Shintō world as well as in the ancient Mediterranean world good men, as well as bad men, become gods. The apotheosis was not the privilege of great men; no distinction was made among the dead. Cicero says, "Our ancestors desired that the men who had quitted this life should be counted in the number of gods.[3]" It was not necessary to have been even a virtuous man: the wicked man, as well as the good man, became a god, but he retained in the second life all the bad inclinations which had tormented him in the first.[4]

Then if men become gods after death, where do they go?

The dead as still inhabiting this world

There is no qualitative difference between ghosts and gods in Japanese imagination. Hearn explains in the chapter "The Ancient Cult"as follows:

> No more than the primitive ancestor-worshippers of Aryan race did the early Japanese think of their dead as ascending to some extra-mundane region of light and bliss, or as descending into some realm of torment. They thought of their dead as still inhabiting this world, or at least as maintaining with it a constant communication. Their earliest sacred records do, indeed, make mention of an underworld, where mysterious Thunder-gods and evil

> goblins dwelt in corruption; but this vague world of the dead communicated with the world of the living; and the spirit there, though in some sort attached to its decaying envelope, could still receive upon earth the homage and the offerings of men. Before the advent of Buddhism, there was no idea of a heaven or a hell. The ghosts of the departed were thought of as constant presences, needing propitiation, and able in some way to share the pleasures and the pains of the living. They required food and drink and light; and in return for these, they could confer benefits. Their bodies had melted into earth; but their spirit-power still lingered in the upper world thrilled its substance, moved in its winds and waters. By death they had acquired mysterious force; —they had become "superior ones," *Kami,* gods.

That is to say, gods in the oldest Greek and Roman sense.

The Similarity of the Greek and Japanese domestic religions

When we read following descriptions, we are impressed with the similarity of the domestic religions. In chapter IV of Book First Fustel de Coulanges writes:

> Thus the ancestor remained in the midst of his relatives; invisible, but always present, he continued to make a part of the family, and to be its father. Immortal, happy, divine, he was still interested in all of his whom he

> had left upon the earth. He knew their needs, and sustained their feebleness; and he who still lived, who labored, who, according to the ancient expression, had not yet discharged the debt of existence, he had near him his guides and his supports—his forefathers. In the midst of difficulties, he invoked their ancient wisdom; in grief, he asked consolation of them; in danger, he asked their support, and after a fault, their pardon.

Though Fustel de Coulanges wrote in the past tense, I am tempted to translate it in the present tense, as it so resembles the Japanese feeling toward ancestors.

As I have said before, Japanese themselves are not always sure if they are religious. But according to the research methods of some scholars of comparative religion Japanese are very religious because they often go to pray before the tombs of their ancestors. I quote here a passage from chapter I of *La Cité Antique.* The notions about the soul and death are as follows in ancient beliefs of Greece and Rome.

> They wrote upon the tomb that the man rested there—an expression which survived this belief, and which has come down through so many centuries to our time. We still employ it, though surely no one to-day thinks that an immortal being rests in a tomb. But in those ancient days they believed so firmly that a man lived there that they

never failed to bury with him the objects of which they supposed he had need—clothing, utensils, and arms. They poured wine upon his tomb to quench his thirst, and placed food there to satisfy his hunger.

The Hirakawa family's small tomb is in Kodaira Cemetery in Tokyo's western outskirts. Every time my wife and I go there on the days of the equinox, we are struck by the sight of many neatly cleaned tombstones decorated decently with flowers. Before some gravestones, there are cans of beer or sake. In memory of the deceased, the treats are offered. I don't think that today in Christian countries the bereaved families pour wine upon the tomb of the deceased. Fustel de Coulanges writes about the meaning of the tombs of ancient people of the Mediterranean world as follows in the same chapter. The people believed firmly in a second existence, therefore:

> The soul that had no tomb had no dwelling-place. It was a wandering spirit. In vain it sought the repose which it would naturally desire after the agitations and labor of this life; it must wander forever under the form of a *larva,* or phantom, without ever stopping, without ever receiving the offerings and the food which it had need of. Unfortunately, it soon became a malevolent spirit; it tormented the living; it brought diseases upon them, ravaged their harvests, and frightened them by gloomy apparitions, to warn them to

give sepulture to its body and to itself. From this came the belief in ghosts.

About the dead it was said: "They are men who have quitted this life; consider them as divine beings." This phrase sounds as though it were spoken by a Japanese. The eighteenth century National Scholars such as Motoori Norinaga or Hirata Atsutane might have pronounced the same idea. In Japan, in a polite archaic expression it is said, "kami sarimasu" instead of "to die", that means "quit this life as a kami." Kami is a divine being, and the Japanese Emperor was called in a polite archaic language *arahito-gami*, that means "a divine being who takes the appearance of a man," a word which has a connotation quite different from "God-Emperor."

Ancestors considered as gods

To us Japanese Cicero's words concerning the dead "They are men who have quitted this life; consider them as divine beings" sound quite natural; however probably to Christianized Europeans they may sound strange, and in chapter IV Fustel de Coulanges makes a rather severe comment:

> Certainly we cannot easily comprehend how a man could adore his father or his ancestor. To make a man a god appears to us the reverse of religion.

For the Japanese as well as the ancient peoples of Greece and Rome ancestor-worship is most important, it is not at all difficult for us to understand the idea of making a man a god. For Fustel de Coulanges, even though he was not a strict believer in Catholicism, it was difficult to comprehend any worship other than that of God the creator. The difference is clear: for Japanese as well as for the ancient peoples of Greece and Rome their gods are blood-related, while for Christians, Jews and Muslims their God is not a blood-related ancestor. He is their creator.

For Lafcadio Hearn as well as for the Japanese jurists of the Meiji period, *La Cité Antique* was a revelation, as they believed that Fustel's history book explains not only ancient Hellenic and Latin urban culture but also the significance of kinship and the cult of the family hearth and ancestors of 19th century Japanese. Kyoto University professor, Okamura Tsukasa writes in 1905: "When I read the family system of the Greeks and of Romans described in *La Cité Antique,* I was filled with wonder, thinking that this book explains our Japanese family system: there is such a resemblance between their system and ours." Marvelling at the similarities, Japanese jurists, instead of applying the Napoleonic code to Japan, founded a new civil code based not on individualism à l'européenne but on family-centered collectivism.

III Toward an Irish interpretation

Hearn's unconscious approach

Lafcadio Hearn liked to compare Japan with Greece, country of his beloved mother. In the classroom in order to clarify things Japanese he often referred to Greek examples. Moreover, this Hellenic way of explaining Japan through Greek models was sometimes very effective. It was easier for Westerners to understand the Japanese "Way of Gods" (Shintō) by Greek analogy. I imagine that Hearn was rather confident in his interpretative attempt, believing that it is in a way endorsed by Fustel's Greek scholarship.

While Hearn's sociological interpretation of Japan was consciously based on the ancient Greek model offered by the French historian, Hearn's folkloristic observation of Japanese religious practices was unconsciously derived, at least partly, from his Irish experience of childhood.

Hearn's antipathy toward everything associated with his Irish father

Hearn was mercifully free from many commonly-shared prejudices of certain overzealous Christian missionaries and Europe-centered professors of the nineteenth century. He was a Westerner who recognized the importance of the indigenous animistic religion of the Japanese. How was it possible for Hearn to intuit so well the subtleties of *kokoro* or the psyche of the

Japanese? There is a great variety of possible answers to all these intriguing questions about Lafcadio Hearn, a man of undeniably many parts. Let us proceed now to a new biographical and interpretative perspective which might be called Irish, and this Hibernian perspective, which hitherto has not been adequately explored, is in my opinion very important and suggestive.

Patrick Lafcadio Hearn dropped his first name Patrick, not immediately on his arrival in the United States, but some years later in his Cincinnati days: he did not like his dead Anglo-Irish father who had been the cause of so much of his misery. In Dublin 'the child' was separated from his Greek mother at the tender age of four, when the father obliged her to go back to an Ionian island. Penniless at the age of nineteen, he left England for America. It is psychologically understandable that Hearn wished to obliterate his paternal background and that he harbored a strong antipathy against what his father, officer surgeon of Queen Victoria's regiment, stood for. He transmogrified himself completely into the Greek romantic figure of Lafcadio Hearn during his New Orleans days.

Was Hearn a dubious Japan interpreter?

However, what did 'Greece' mean to Hearn whose linguistic knowledge of Greek was so poor as to be later mocked by the philosophy professor von Kœber, a colleague of his at Tokyo University? Where did this need to reinvent himself come from? And why was he so successful as an interpreter of Japan? Was

there any connection between his insecure childhood and his sympathetic understanding of ghostly Japan? Or was his success bogus, as the aged dean of Western Japanologists, Basil Hall Chamberlain, intimated in the article 'Lafcadio Hearn' quoted above? These are the questions concerning Lafcadio Hearn mainly in the West, while in his country of adoption Hearn has become more popular under the Japanese name of Koizumi Yakumo, and there is a considerable difference in appreciation between literary historians from the West and Japanese Hearn admirers. Does the contrasting difference in appreciation derive from infatuation, narcissism or nostalgia for their romantically idealized pre-industrial past by the Japanese? Or does the difference in depreciation derive from the incredible act, in the respectable reign of Queen Victoria, of a British subject's going native and becoming a naturalized Japanese citizen?

Ghostly world of the Japanese understood through Irish experiences

Before answering all these questions, let me clarify first Hearn's posthumous literary fame and his gradual acceptance in Japan. Moreover, by showing an example of Japanese understanding of Lafcadio Hearn, I'll try to explain the need for us all to know more about his Irish background, which has something to do with his understanding of the ghostly world of the Japanese, which is no other than that of Shintō.

Hearn is today remembered in Japan mainly for his

kwaidan or ghost stories. One of the first folk-tales retold by Hearn is included in an essay "By the Japanese Sea" in *Glimpses of Unfamiliar Japan* (1894).

Once there lived in the Izumo village called Mochida-no-ura a peasant who was so poor that he was afraid to have children, and each time that his wife bore him a child he cast it into the river, and pretended that it had been born dead. Sometimes it was a son, sometimes a daughter, but always the infant was thrown into the river at night. Six were murdered thus.

But, as the years passed, the peasant found himself more prosperous. He had been able to purchase land and to lay by money. And at last his wife bore him a seventh child, —a boy.

Then the man said: "Now we can support a child, and we shall need a son to aid us when we are old. And this boy is beautiful, so we will bring him up."

And the infant thrived; and each day the hard peasant wondered more at his own heart—for each day he knew that he loved his son more.

One summer's night he walked out into his garden, carrying his child in his arms. The little one was five months old.

And the night was so beautiful, with its great moon, that the peasant cried out, —

"Aa kon ya medzurashii e yo da!" [Ah! To-night truly a wondrously beautiful night is!]

Then the infant, looking up into his face and speaking the speech of a man, said:

"Why, father! *the* LAST *time you threw me away* the night was just like this, and the moon looked just the same, did it not?"[5]

And thereafter the child remained as other children of the same age, and spoke no word.

The peasant became a monk.

The Japanese ethnological studies undertaken by Yanagita Kunio (1875-1962) at the beginning of the twentieth century got a strong impetus from Hearn's writing of this kind. Stimulated by Hearn's example, Japanese pioneer folklorists belatedly began to collect and write down oral legends, though this legend of Mochida-no-ura itself was never recorded in Japanese except the Izumo dialect of the father's cry used in the text and the boy's speech footnoted by Hearn. The curiosity of Japanese comparative literary historians, too, was aroused by this kind of retold story. While analyzing the intrinsic value of the retold tale itself, we are inevitably reminded of the writer's own childhood. Was not Lafcadio psychologically an abandoned child himself?

We have also remarked that the empathy with which Hearn retells Japanese stories has in many cases two kinds of roots: one has something to do with his own personal experience. Longing

for his early separated mother is transplanted in stories such as Urashima ("The Dream of a Summer Day") or the rebirth of a betrothed girl ("The Story of O-Tei"). The other derives from the bookish knowledge or literary experience gained in his formative years. While retelling Japanese stories, Hearn might have mingled or used consciously or unconsciously some such Western elements. Let us compare the Mochida-no-ura legend with a Scottish ballad which Hearn later taught to Tokyo university students:

She leaned her head against a thorn,
(*The sun shines fair on Carlisle wall!*)
And there she has her young babe born.
(*And the lion shall be lord of all!*)

"Smile not so sweet, my bonny babe.
(*The sun shines fair on Carlisle wall!*)
An ye smile so sweet, ye'll smile me dead."
(*And the lion shall be lord of all!*)

She's howket a grave by the light of the moon,
(*The sun shines fair on Carlisle wall!*)
And there she's buried her sweet babe in.
(*And the lion shall be lord of all!*)

As she was going to the church,
(*The sun shines fair on Carlisle wall!*)
She saw a sweet babe in the porch.
(*And the lion shall be lord of all!*)

"O bonny babe, an ye were mine,
(*The sun shines fair on Carlisle wall!*)
I'd clad ye in silk and sabelline."
(*And the lion shall be lord of all!*)

"O mother mine, when I was thine,
(*The sun shines fair on Carlisle wall!*)
To me ye were not half so kind.
(*And the lion shall be lord of all!*)

"But now I'm in the heavens hie,
(*The sun shines fair on Carlisle wall!*)
And ye have the pains of hell to dree."
(*And the lion shall be lord of all!*)

Hearn adds the following comment:

Here we have a story told in a few lines, but with extraordinary power, for once read, the ballad never can be forgotten. A young girl, to hide her shame, determines to kill her illegitimate child, but at the moment of the act, the

child smiles in her face, and this almost prevents the crime. Nevertheless it is accomplished, the child is secretly buried; no one knows of the act: and the mother returns to her life in society as if nothing had happened. But one day as she is about to enter a church, she sees a child of such remarkable beauty that her natural affection is aroused, and she cannot help saying to the little creature, "Oh, how beautifully I should dress you if you were my boy." The child's answer immediately reveals to her that she is speaking to the ghost of the child she has murdered. —"O mother, when I was your boy, you were not so kind!" The great art of this poem—probably the composition of some peasant—is all in the second verse. This is intensely human, and terribly touching.

The subject of the ballad is very similar to the Japanese legend. The difference is that in the Scottish ballad it is not the father but the mother of the child that killed it. In the ballad, the child was killed only once while in the Japanese legend six children were killed, as the Buddhist transmigration is often associated with the number seven. However, the most impressive point is that the ghost of the murdered child speaks to the parent through the mouth of another new-born baby. This point is the same in the two pieces: the child's voice reminds the parent of the past crime. According to Hearn's paraphrase the child that the mother see at the entrance of a church is a boy. I am

wondering if the child is really a boy. Is there not a possibility that 'my bonny babe' is a girl? In the fifth stanza the mother says: "I'd like to clad ye in silk and sabelline." The expression "Oh, how beautifully I should dress you" seems to me to fit better "if you were my *girl*." However, for the once abandoned Lafcadio the bonny babe should be, like himself, a boy.

The part played by Hearn's earlier experience

The question now is whether Hearn was conscious of this ballad when he retold in English the legend of Mochida-no-ura. As the original Japanese oral story is not recorded in a written form, we cannot give any satisfactory answer. However, it is very probable that Hearn was reminded of this ballad while rewriting the Japanese tale. His childhood experience, too, must have played a certain part in the recreation of many of his Japanese stories and observations. In fact, toward the end of "By the Japanese Sea", in which the supernatural tale of the abandoned child is told, Hearn suddenly refers to a Celtic lullaby sung in a dream by a woman with black hair and to an Irish folk-saying that any dream may be remembered if the dreamer, after awakening, refrains from scratching his head in the effort to recall it. There is, therefore, a conscious or unconscious association between them.

If even a retold Japanese ghost story can be profitably re-examined in a Celtic perspective, then how about Hearn's interpretations of Japanese goblins, ghosts and souls? Would it

not be possible for us to reconsider them not only under a Greek angle but also under an Irish angle? In his opening chapter of *A Fantastic Journey, the Life and Literature of Lafcadio Hearn* (1993) Paul Murray says:

> It has been accepted in Hearn biography that his experience in Japan was a curve, veering from early infatuation to disillusioned realism. A close examination of the evidence, however, reveals that he formed his views on Japan in his first few months there and never fundamentally altered them up to the time of his death, fourteen years later.

As to his view on the ghostly world of the Japanese, I am also of this opinion. It is true that Hearn's attitude toward Japan and the Japanese was ambivalent and that there were inevitable fluctuations in his love-hate relationship with Japan. However, there was not much change in his interpretations of Shintō. This means either that Hearn formed his views on Japanese religions in his first few months or that he had come to Japan with an almost pre-established idea concerning the relationships between underlying indigenous religion and a superimposed imported religion. In this context, Hearn's prior experience in the French West Indies, as well as his childhood experience, become very significant, as some of his keen observations and sharp interpretations of the religious state of mind of the Japanese

were made against those earlier backgrounds.

Lafcadio Hearn was already cynical toward missionaries and their evangelical work in his Martinique days. He saw clearly and rightly that what Creole populations there worshipped in distorted figures of Mary, Christ or Catholic saints was, in reality, something considerably different from orthodox Christianity. Martinique was indeed full of ghosts and ghost stories related to religions of African origin; it was there that Hearn first successfully collected ghost stories, and thanks to his recording of them those Creole stories are still read and enjoyed by the local population a century later, and Hearn's name is as well remembered in the French West Indies as it is popular in Japan today. "Un Revenant" is a superb piece, and I quite agree with the view that there was much in *Two Years in the French West Indies* which anticipated important elements of Hearn's Japanese work.

Japan, country of Shintō gods

On his arrival in Japan, I believe that Hearn was already sure that Buddhism in this island country must have been very much Japanized, and he was right: Buddhism in Japan is as different from Buddhism in other countries as Japanese temples are different in color and form from Buddhist temples in China, Korea or Sri Lanka. The problem with Japanese Buddhists, however, is that they insist that Buddhism in Japanese form is the authentic one. It is curious but the Japanization of Buddhism

under the influence of Shintō has not always been objectively studied by native Buddhist monks and believers, as the present form suits their interests and tastes best. Hearn's observations concerning Japanese religious matters had from the beginning the advantage of wider perspectives and different points of comparison.

In his New Orleans days, Hearn translated some passages from Loti, and he admired the dance of the festival of the dead in Senegal beautifully described by the French author. "At the Market of the Dead" and "Bon-Odori" in *Glimpses of Unfamiliar Japan* are what Hearn actually observed in the first months of his stay in Japan; however, he had already learnt how to observe a phantasmal dance from the final chapters of Loti's *le Roman d'un Spahi.* Still, we would like to know why it was possible for Hearn to convey so expertly the feelings of the foreigner who was making his first acquaintance with the *bon-odori,* the dance of the festival of the dead. Moreover, why was it so easy for him to understand that the traditional festival of the dead, *o-bon*, had originally little to do with Buddhism? Was it because Halloween in the West has roots going back into pre-Christian times? Was Hearn's approach to Japan essentially analogical? And why did he understand so early the *bon* festival's ancestral character, while coming to Matsue, the chief city of the province of gods? Why could he enter into the gathering of Japanese ghosts?

Yeats' connection with Japan

Here we are ineluctably reminded of Yeats' connection with Japan.

William Butler Yeats intuited remarkably well the world of Nōh plays, which is no other than a world of ghosts, probably because he was already familiar with Irish faery tales and ghost stories. If Yeats, who had never been to Japan, was able to empathize with the ghostly world of Japan through his reading of the Fenollosa-Pound translations of Nōh plays, why would it not be possible for Lafcadio Hearn, a child of similar Irish background, to sympathize with Japanese ghostly folklore and customs? Both Yeats and Hearn were agnostics of a kind, but this does not mean that both poets were not gifted with religious sensitivity. On the contrary, Yeats and Hearn were religious in the sense that in the vacuum caused by their loss of faith in a monotheistic religion there entered furtively a legion of pagan gods, ghosts, and goblins. Faeries and spirits began to appear in their mind's eye. The Japanese world of the dead began to be familiar to Lafcadio's mind's eye. Here is the first example of his penetration into the religious world of the Japanese, which I quote from the same travel essay "By the Japanese Sea". The Mochida-no-ura legend of the transmigration of the soul of a murdered child, although Buddhistic in form, is indirectly related to the following belief in returning ghosts:

> Though during a week the sky has remained unclouded, the sea has for several days been growing angrier; and now the muttering of its surf sounds far into the land. They say that it always roughens thus during the period of the Festival of the Dead,—the three days of the Bon, which are the

thirteenth, fourteenth and fifteenth of the seventh month by the ancient calendar. And on the sixteenth day, after the shōryōbune, which are the Ships of Souls, have been launched, no one dares to enter it: no boats can then be hired; all the fishermen remain at home. For on that day the sea is the highway of the dead, who must pass back over its waters to their mysterious home, and therefore upon that day is it called Hotoke-umi, —the Buddha-Flood,—the Tide of the Returning Ghosts. And even upon the night of that sixteenth day,—whether the sea be calm or tumultuous,—all its surface shimmers with faint lights gliding out to the open,—the dim fires of the dead; and there is heard a murmuring of voices, like the murmur of a city far-off,—the indistinguishable speech of souls.

And Hearn tells us about his visit to the village hakaba or graveyard:

After the supper and the bath, feeling too warm to sleep, I wander out alone to visit the village hakaba, a long cemetery upon a sandhill, or rather a prodigious dune, thinly covered at its summit with soil, but revealing through the crumbling flanks the story of its creation by ancient tides, mightier than tides of to-day.

I wade to my knees in sand to reach the cemetery. It is a warm moonlight night, with a great breeze. There are

many bon-lanterns (bondōrō), but the sea-wind has blown out most of them; only a few here and there still shed a soft white glow—pretty shrine-shaped cases of wood, with apertures of symbolic outline, covered with white paper. Visitors beside myself there are none, for it is late. But much gentle work has been done here to-day, for all the bamboo vases have been furnished with fresh flowers or sprays, and the monuments cleansed and beautified. And in the farthest nook of the cemetery I find, before one very humble tomb, a pretty zen or lacquered dining tray, covered with dishes and bowls containing a perfect dainty little Japanese repast. There is also a pair of new chopsticks, and a little cup of tea, and some of the dishes are still warm. A living woman's work; the prints of her little sandals are fresh upon the path.

Festivals of the dead took place in many parts of the world. Now let us have a look at the following description:

The second of November is the festival of All Souls of the Faithful Departed, and, in accordance with ancient church practice, prayers for the repose of the souls of the dead were recited on the day.

A widespread belief was that dead members of the family returned to visit their old home on this night, and the care should be taken to show that their visit was welcome.

All Souls Eve is sacred to the memory of the departed. After the floor has been swept and good fire put down on the hearth, the family retires early, leaving the door unlashed and a bowl of spring water on the table, so that any relative who had died may find a place prepared for him at his own fireside. On that one night in the year the souls of the dead are loosed and have liberty to visit their former homes.

Many people lit one candle for each dead member of the family when evening prayers were being said. In some cases the candles were quenched when the prayers were ended, in others they were left to burn out. Many people made visits to the graveyard where their relatives were buried, to pray for their souls and clean and tidy the graves; some placed lighted candles on the graves while praying.

The belief that the souls of the dead kinsfolk could come to the aid of the living at this time was current. The present writer, as a child, asked an old storyteller in County Limerick "if he wasn't afraid to go into the haunted house?" and got the reply "In dread, is it? What would I be in dread of, and the souls of my own dead as thick as bees around me?"

It is said that on this one day in the year the souls of the dead are allowed to re-visit their native districts: and if only human eye had the power to see them, they would be observed about on every side "as plenty as thraeneens in an

uncut meadow."

The quotation is from Kevin Danaher, *The Year in Ireland,* (Cork: The Mercier Press, 1972). We know that the dead take a continuing part in the lives of the living not only in Japan of Shintō traditions but also in many areas of rural Ireland. So long as we humans feel a need to believe it, communications between our ancestors and us continue and this belief in East Asia is generally known in the West by the name of 'ancestor-worship.'

The Relationship between Hearn's Greece and Ireland

Finally, let me dwell a bit on the relationship between Hearn's Greece and Ireland. In many of his writings Lafcadio Hearn fondly compared Japan with Greece. In the case of his *Japan: an Attempt at Interpretation* Hearn's repeated references to Greek antecedents are quite understandable, as the book was modeled after Fustel de Coulanges' *The Ancient City* (La Cité Antique). The table of contents of both books contain almost the same chapter titles such as 'Ancient beliefs', 'the Worships of the Dead', 'the Sacred Fire', 'the Domestic Religion', 'the Family' for Fustel's book and 'the Ancient Cult', 'the Religion of the Home', 'the Japanese family', 'the Communal Cult', 'Developments of Shintō' for Hearn's book. Hearn's approach was so remarkably similar that Marc Logé, the French translator of Hearn's *Japan, an attempt at interpretation,* could not help calling it in the preface *La Cité Extrême-Orientale.* As I have

mentioned, *The Ancient City* (La Cité Antique) was extremely popular among the leading jurists of Meiji Japan, who like Hearn, believed they had found in the French historian's description of ancient Greek society, a society very similar to that of nineteenth century Japan.

A ghostly world presented with an Irish imagination

As Hearn was a firm believer in the linear evolution of mankind, he imagined that he himself was living in Japan at the same primitive stage lived by his maternal Greek ancestors several thousand years before.

However, what is interesting about the use of the adjective 'Greek' by Hearn, and to a certain degree by Fustel de Coulanges himself, is that it often means 'pre-Christian'. The French historian depicts European society before it was Christianized or before ancient cults were eradicated and their gods expelled. In spite of his rather weak knowledge of things Greek, Hearn was easily able to empathize with the 'Greek' world as it was described by Fustel de Coulanges, because it was a world full of ghosts, and that world haunted by the spirits of the dead was in many ways similar to the Celtic world.

Yes, it may be claimed that Lafcadio Hearn presents us with a distinctively Irish imagination. Brought up in Dublin, listening to so many Irish folk-tales told by unspoiled peasant maids and servant-boys coming from the countryside, Hearn was obsessed with the world of the occult. He was probably conscious of this

Irish background which enabled him to enter into and feel the ghostly Japan so well. But for the reason already mentioned, Lafcadio did not wish to mention his indebtedness toward his paternal country.

I should add, however, that Hearn was the first professor who took up William Butler Yeats in a university lecture, before he became famous. Already conscious of his Celtic heritage, Hearn wrote to the young poet as follows:

> …But forty-five years ago, I was a horrid little boy (…), who lived in Upper Leeson Street, Dublin; and I had a Connaught nurse who told me fairy-tales and ghost-stories. So I *ought* to love Irish Things, and I do.

This above is a letter sent to Yeats, 24 September 1901. When Hearn began to write autobiographical fragments, vaguely recognizing his own background, Hearn suddenly passed away at the age of fifty-four. Do I insist too much on the Irish in him, if I sometimes change 'Greek' to 'Celtic', while reading Hearn's writings? At any rate how satisfying it is to see in the same perspective Hearn and Yeats together! It is almost certain that Hearn is going to be redefined and revived with an Irish dimension.

IV Universality of ancestor-worship

Toward Hirakawa's comparative historical suggestions

Finally let me add some concluding comments. First about the universal character of ancestor-worship. The French philosopher Alain writes in the *propos* dated January 15, 1922 an article entitled "le culte des morts".

> Cult of the dead is practiced all over the places where there are humans, and it is same everywhere; it is perhaps the only cult worth its name. Theologies are nothing more than its ornament or means.

The sentiment that the deceased are dear to us is almost the same everywhere. Our fathers and mothers are dear to us not only during their lifetime but also even after. Probably more so, when we become older, we tend to reminisce of them more often. This human feeling of filial affection is at the bottom of the indigenous religion of the Japanese. Shintō is based on this universal instinct of our gratitude toward our ancestors and benefactors. Shintō is not so special, as ancestor-worship is more or less practiced everywhere in the world, as was told by Alain. In order to stress the importance of the universal character of this cult, I would like to quote his words of the above English translation, which is mine, this time in the original French:

> Le culte des morts se trouve partout où il y a des hommes, et partout le même; c'est le seul culte peut-être, et des théologies n'en sont que l'ornement ou le moyen.

There is in Shintō also a feeling of awe toward beings that are 'superior' to us: as I said before; these beings which inspire a sense of awe might often be called *kami.* Not only animate beings but also extraordinary natural phenomena, such as a high mountain, a volcano, a waterfall, a large tree have become objects of worship,

The Japanese Shintō does not like to make a clear cut distinction of the dead: good persons as well as bad persons are deified. There are, therefore, gentle spirits as well as rough spirits around us. A startling example of an awe-inspiring rough spirit is Taira no Masakado (d. 940). This greatest of Japanese traitors, who tried to usurp the Imperial Throne, is enshrined together with other mythological deities in Kanda Myōjin, downtown Tokyo. Sometimes in order to placate awful and resentful spirits, shrines are built. This religious tradition, though it looks very peculiar, is not so special if we read carefully Greek and Roman authors. In the Shintō world as well as in the ancient Mediterranean world good men, as well as bad men, become *kami* or gods, and conversely some high Shintō personalities are called even in their lifetime *arahito-gami,* gods in human appearance. Lafcadio Hearn explains well what a *ikigami-sama* is in his essay "A Living God"[6].

Something more special about Shintō seems to be its compatibility with other religions. The Japanese indigenous religion has coexisted together with Buddhism of foreign origin. Their good relations were broken only during the times of nationalistic revival of Shintō fundamentalism. That movement tinged with xenophobia took place around the Meiji Restoration of 1868. Otherwise Shintō is tolerant or indifferent toward other religions so far as they do not interfere with peaceful religious coexistence. It is impossible to imagine a great Catholic cathedral with a small shrine dedicated to pagan gods in its precincts. But almost all Japanese great Buddhist temples have a small Shintō shrine in some corner of the precincts.

When Buddhism was introduced from China or via Korea into Japan, leading Japanese were divided among those who supported the importation of the continental civilization of China, represented by the factions such as Soga and those who adhered to native traditions of Japan represented by the factions such as Mononobe. Witnessing their civil strife, Prince Shōtoku (574-622) promulgated the so-called Seventeen-Article Constitution. The first article of this set of basic principles of government is: Harmony is to be valued. The Japanese emperor is nominally the highest Shintō priest of ancient Yamato tradition. The imperial family, however, has generally been in favor of the modernization of Japan by importing the ideas from advanced foreign civilizations. If the time of Prince Shōtoku was characterized by Japan's turn to Tang China, the time

of Meiji emperor (1852-1912) was characterized by Japan's turn to the West. Lady Murasaki defines the cultural situation of the aristocratic age after the transfer of Japan's capital to Kyoto in 794 by referring to the ideal "Japanese spirit and Chinese learning," This expression which first appears in the *Tale of Genji* written around the year 1008, is later reshaped into "Japanese spirit and Western learning" for the purpose of modernization of Meiji Japan.

Japan is geographically separated from the Asian continent; and the inhabitants of the Japanese archipelago were politically not dominated by the Chinese empire. Semi-detached, they could choose as they please, and the Japanese became historically eclectic in many matters. They were living in a peripheral zone of a major civilization of the world. That must be the reason Prince Shōtoku, instead of stating fundamental religious commandments, exhorts the people to lay aside partisan differences in the first article of the first Constitution of Japan. Political and religious tolerance was in this way discreetly recommended above all things, and the Japanese are today at home with a shelf for Shintō gods, called kamidana (god-shelf) and/or, a family Buddhist altar, called butsudan.

I feel myself happy born in this country of Shintō gods. I like ethically and esthetically the traditional virtue of cleanliness it advocates. The spiritual cleanliness is honesty. If Shintō is spun from the threads that make up the very fabric of the Japanese psyche, let us explain it not only in Japanese but also in

English or in any foreign tongue. Emperor Meiji, a great Shintō poet, recommends it in his *uta*-poem as follows:

> Totsukuni no hito ni misubeki shikishima no Yamato nishiki wo ori-idasanamu
>
> Let us reveal to the world the beauty that is interwoven in Japan

Notes

(1) See Wilhelmus H. M. Creemers, *Shrine Shinto after World War II,* Leiden, Brill, 1968.

(2) It is often said that Shintō is something that should be felt rather than taught. Intellectual and especially philological approach to Shintō does not work well. Those foreigners who showed a sympathetic understanding of the Japanese native religion have not been bookish arm-chair scholars. Four names are well known: Lafcadio Hearn, Paul Claudel, the architect Bruno Taut, André Malraux. See M.Toda's article "The Western Approach to Shinto" in S. Hirakawa ed., *Rediscovering Lafcadio Hearn,* Folkestone, U.K.:Global Oriental, 1997, pp.223-241.

(3) Cicero, *De Legib.*,22.

(4) St. Augustine, *City of God*, IX, 11; VIII.26.

(5) *"Ototsan! washi wo shimai ni shitesashita toki mo, chōdo kon ya no yona tsuki yo data-ne?"*—Izumo dialect.

(6) We have to add, however, Kamo Mabuchi's etymological explanation concerning the word *arahito-gami*. According to Kamo, the wording *ara* is the same with *ara-mitama*, which means Rough August Spirit.

The Image of the Shintō Shrine in the Works of Lafcadio Hearn

～ “A Living God” and the Celtic Wind ～

Yoko MAKINO

I Ancestor worship and nature worship

— Japanologists' view of Shintō shrines

When talking about Shintō, it is often said that its essence lies in its deep relationship with nature. The shrines we visit stand amidst gigantic trees, and are located near iconic sites in the landscape. Enshrined are the gods of sun, the wind, the sea, the mountains and falls and rocks and trees. People who worship and revere their powers also feel a strong affinity towards them. Thus "Green Shintō", an expression which we hear today may perhaps represent the values that foreign environmentalists seem to have recently discovered.

However this positive appreciation on the part of Westerners is quite new, having appeared only in recent days.

In the days of Lafcadio Hearn, it was quite the opposite and that was just a minority view.

Basil Hall Chamberlain (1850–1935), the renowned British Japanologist, who had spent 38 years living in Japan, stated his opinion of Shintō shrines in his *Things Japanese* (1890), as follows:

> The Shintō temple (*yashiro* or *jinja*) preserves in a slightly elaborated form the type of the primeval Japanese hut, ...the Shintō temple is thatched, ...the Shintō temple is plain and empty, while the Buddhist is highly decorated and filled with religious properties.[(1)]

Small, simple, primeval, empty, no ornaments, nothing monumental. This was the major view of Shintō shrines shared by most of the foreign residents. Even Ise Jingū left Victorian visitors with the same sentiment. British diplomat Ernest Satow, described it as "disappointing in its simplicity and perishable nature"[(2)]. British traveler Isabella Bird, wrote sarcastically about there being nothing to see at all[(3)]. And again Basil Hall Chamberlain summed it up, questioning whether "the ordinary tourist" should visit Ise at all, since you would only find "white pine wood and a thatch of rushes, no carvings, no paintings, no images, nothing but an immense antiquity"[(4)].

This clichéd image of the shrine, of course, goes hand in hand with their view of Shintō itself.

Chamberlain's following explanation is well known.

> Shintō, which means literally "the Way of the Gods," is the name given to the mythology and vague ancestor and nature-worship which preceded the introduction of Buddhism into Japan, and which continues to exist in a modified form. ......we would here draw attention to the fact that Shintō, so often spoken of as a religion, is hardly entitled to that name....... It has no set of dogmas, no sacred book, no moral code[(5)].

British diplomat and scholar William Aston presses the

point further in his preface to his book, *Shintō :The Way of the Gods* (1905) and states,

> As compared with the great religions of the world, Shinto, the old *Kami* cult of Japan, is decidedly rudimentary in its character. Its polytheism, the want of a Supreme Deity, the comparative absence of images and of a moral code, its feeble personifications and hesitating grasp of the conception of spirit, the practical non-recognition of a future state, and the general absence of a deep, earnest faith—...... Still, it is not a primitive cult. It had an organized priesthood and an elaborate ritual. The general civilization of the Japanese when Shinto assumed the form in which we know it had left the primitive stage far behind. They were already an agricultural nation, a circumstance by which Shinto has been deeply influenced. They had a settled government, and possessed the arts of brewing, making pottery, building ships and bridges, and working in metals. It is not among such surroundings that we can expect to find a primitive form of religion.(6)

Aston, like Chamberlain, here points out what Shintō lacks, such as the "absence of moral code". However, Aston was aware that when Shintō assumed the present form, with "an organized priesthood and an elaborate ritual," Japan was already highly civilized, in a stage where you cannot "expect to find a primitive

form of religion". If Shintō could not be "a primitive cult," as Aston admits, what seems to have troubled and confused Aston most, then, was not only the "absence of moral code," but the" hesitating grasp of the conception of spirit, practical non-recognition of a future state".

"Difficulties"

Lafcadio Hearn, who was familiar enough with these Shintō views of his fellow foreigners, argued in one of his early essays "Kitzuki: The Most Ancient Shrine of Japan", how one should approach the religion. In the last passage of the essay, he says:.

> Shintō has no philosophy, no code of ethics, no metaphysics; and yet, by its very immateriality, it can resist the invasion of Occidental religious thought as no other Orient faith can. …… Indeed the best of our scholars have never been able to tell us what Shintō is. To some it appears to be merely ancestor-worship, to others ancestor-worship combined with nature-worship; to others, again, it seems to be no religion at all; to the missionary of the more ignorant class it is the worst form of heathenism. Doubtless the difficulty of explaining Shintō has been due simply to the fact that the sinologists have sought for the source of it in books. …… But the reality of Shintō lives not in books, nor in rites, nor in commandments, but in the national heart, of which it is the highest emotional religious expression,

> immortal and ever young. Far underlying all the surface crop of quaint superstitions and artless myths and fantastic magic there thrills a mighty spiritual force, the whole soul of a race with all its impulses and powers and intuitions. He who would know what Shintō is must learn to know that mysterious soul in which the sense of beauty and the power of art and the fire of heroism and magnetism of loyalty and the emotion of faith have become inherent, immanent, unconscious, instinctive.[7]

Hearn here states that in order to understand the essence of Shintō, one should not bother about theories or words, but step into the everyday lives of the people. Shintō being 'the highest emotional religious expression' of 'the national heart', Hearn tried to see what they saw, to listen to what they heard, and to feel what they felt and thus to grasp 'the reality of Shintō'.

But at the same time Hearn also acknowledges and repeatedly refers to the fact that "a definite answer to the question, 'What is the nature of Shintō?' is still difficult to give."[8] He even titled the first chapter of his last book *Japan: an Attempt at Interpretation* (1904), "Difficulties".

Then, what exactly was so difficult for all those scholars to figure out? What exactly is at the root of this alleged difficulty?

We may here recall Chamberlain's words. When denouncing Shintō as a "religion," he defined it as a "vague ancestor and nature-worship," and then accused it of having

“no set of dogmas, no sacred book, no moral code.” Which would mean that Chamberlain thought, if Shintō is based on the worship of both ancestors and nature, that fact required explanation and should be explained in words, systematically and theoretically. In Christianity, the absolute God the creator, and the created (humans and nature) are strictly separated. However, humans and nature are also completely different existences, only humans having been granted a soul from God. In other words, there is an unsurpassable boundary between each of the three: God, the one and only object of worship; humans with souls; and nature without souls. Thus, from a Westerner’s point of view, worshiping ancestors and nature as deities all together must have seemed a basic mix-up of different elements hard to accept, unless provided with a thorough theory. The relationship between the three seemed ambiguous. Furthermore, as Aston had doubted, most importantly, the whereabouts of the soul after death seemed unclear, vague and neglected. Hearn, well aware of their arguments, tried in his own way to grasp the essence of Shintō. He explored people’s everyday life, their beliefs extracted from folklore and customs, and he depicted many scenes of life in Japan, and by depicting each scene one after another, he tried to convey something of what Shintō signifies.

It is especially through his description of the Shintō shrine, that he expressed his own conception of Shintō. One thing to be sure was that shrines existed throughout Japan, in thousands and

in millions. Shintō may be without dogmas or theories or sacred texts, but Hearn saw how people continued to pay visits to those shrines and offer prayers. What could be more convincing than that, to understand how deeply Shintō is rooted in the country.

Thus, Hearn, by observing the shrine building and its surrounding atmosphere, tried to deepen his understanding of Shintō and to answer the doubts set forth by Chamberlain and others.

II The image of the Shintō shrines in Hearn's works — "From a Traveling Diary" and "A Living God"

After arriving in Japan, Hearn visited shrines and temples around Yokohama. When he was posted to Matsue in Shimane prefecture as a high school English teacher, he paid a formal visit to the famous Izumo Shrine, an ancient shrine dedicated to one of the powerful gods in Kojiki. Living in a district abundant in remnants of ancient Japanese mythology, Hearn did not miss visiting the Yaegaki Shrine, nor the Miho Shrine, and wrote many attractive travel essays, covering the culture, folklore and daily life of the area. Hearn also was attracted by small nameless shrines and altars in villages and the countryside. And I believe that his sketches of these small unknown rural shrines, rather than those of famous historical places, are more impressive, and show more typically how he perceived Shinto, as can be seen in the following works of Hearn: "From a Traveling Diary" (*Kokoro*,1895), and "A Living God" (*Gleanings in Buddha-*

fields, 1897).

There are three phases in the image of Shintō that Hearn depicted: the path to the shrine, the shrine building itself, and the kami enshrined within. And following his steps, approaching the shrine's interior, we see Hearn's idea deepen and finally capture the profound essence of the religion.

The Steps that lead to Nothing.

"From a Traveling Diary" (1895) is a journal of his travels in Kyoto. In the following short passage, he describes the beauty of the roads that lead to shrines.

> Of all peculiarly beautiful things in Japan, the most beautiful are the approaches to high places of worship or of rest,—the Ways that go to Nowhere and the Steps that lead to Nothing.
>
> ……
>
> Perhaps the ascent begins with a sloping paved avenue, half a mile long, lined with giant trees. Stone monsters guard the way at regular intervals. Then you come to some great flight of steps ascending through green gloom to a terrace umbraged by older and vaster trees; and other steps from thence lead to other terraces, all in shadow. And you climb and climb and climb, till at last, beyond a gray torii, the goal appears: a small, void, colorless wooden shrine,—a Shintō miya. The shock of emptiness thus

received, in the high silence and the shadows, after all the sublimity of the long approach, is very ghostliness itself.[(9)]

Hearn depicts the approach to the shrine as an ascending road in the mountains. The ascent begins in a gentle slope, with huge trees on both sides, guarded by strange stone figures. In the midst of a deep forest, "you climb and climb and climb." While climbing, you feel an uplift of spirits and your expectations heighten together with your steps, but at the summit, all you find is "a small, void, colorless wooden shrine,—a Shinto miya." Hearn concludes that "the shock of emptiness, thus received" in the silent shadows is "ghostliness itself."

Without a doubt Hearn had Chamberlain's negative definition of the shrine in mind, when describing the shrine as "small," "void," and "colorless." As mentioned already Chamberlain had regarded the simplicity of Shintō shrines as a defect. However Hearn capitalized the words "Nothing" and "Nowhere." To have nothing of what Westerners expect in religious architecture, such as sculptured holy figures, was here having more than just "nothing." To defy the artificial, to abandon manmade structures and to simply reside with the shadowy trees of the deep forest— Hearn found here an enlightening profound value. And when we see how he emphasizes the road itself as in the phrases, "the Ways that go to Nowhere", and "the Steps that lead to Nothing," we see that he discovered not only beauty but a fundamental importance in

those “Ways” and “Steps,” namely, the pathways of the shrine as a religious journey.

Hearn sees the ascending road to a shrine in the deep forest as “the Steps that lead to Nothing”. The spiritual motion here perceived, would be something like, say, being suddenly released at the height of tension. After a crescendo movement of expectations, instead of culminating and exalting at the top, you let go. You feel yourself fall in the air and are loose, freed from all strain. In other words, Hearn here sees the process in which man discards artificiality, step by step, to be reduced to “Nothing” and thus sublimated by integrating with nature. What man experiences in this typical realm of Shintō, Hearn termed “ghostliness itself.”

Gothic Forms

Although it was more about the path, the space leading to the Shintō shrine rather than the shrine itself that was depicted in “From a Traveling Diary,” Hearn ventured to put the shrine building forth two years later in an impressive piece of work, “A Living God.”(10)

This was the opening essay of his fourth book written in Japan, *Gleanings in Buddha-fields* (1897). It is interesting to know that Hearn had placed a piece dealing with the very fabric of Shintō at the top of his book the title of which meant “stories collected in a land of Buddhism.” “A Living God,” with a length of about 23 pages, is comprised of three sections.

To give a brief description, the first section is about the architecture of Shintō shrines, the second part discusses the Japanese village society centered around such a shrine, and in the last section Hearn tells the experience of Hamaguchi Gohei and the tsunami, which was a fact-based true story. Hamaguchi, an aged farmer and headman of a small village in the province of Wakayama, encounters an unprecedentedly huge earthquake while he is resting in his home at the top of the hills. Wishing to warn all the villagers, who were then preparing a festival down by the seaside, that a tsunami is coming, Hamaguchi set fire to his stacks of newly harvested rice. The villagers, surprised and alarmed to see the towering flames, immediately rushed up the hill to put out the fire, and as a result, were saved. Not one was taken by the tsunami, thanks to Hamaguchi's quick thinking.

This tsunami story part is quite well known, independently from the first two parts. It was rewritten for children in Japanese by Nakai Jozo and was in a primary school textbook reader from 1937 to 1947. It is also popular outside Japan as a children's picture book. The story itself is, of course, attractive, and with the description of the tsunami, it has been read over the years as a useful textbook to raise awareness of disaster prevention.

Compared to the popularity of the tsunami story, the first two parts of "A Living God", are rarely discussed, though not to say forgotten or neglected. There are many university textbook versions of Hearn's works, but it is always the tsunami story part alone that is chosen for the collections, and the rest is omitted.

One reason for this may be the preconception that the topic itself, of Shintō deities and shrines, would be rather difficult to understand. And secondly, the relationship between the section about Shintō and the more appealing story of the tsunami would not be clear to the reader.

However, the opening description of the first essay of his book, *Gleanings in Buddha's Fields,* would have been written and composed with great care, thus assigned particular significance and importance by the author. Here, Hearn captures the image of the Shintō shrine straightforwardly from the façade. In his elaborately detailed descriptions, we see Hearn's interpretation of the Japanese sense of Shintō.

"A Living God" begins like this:

> Of whatever dimension, the temples or shrines of pure Shintō are all built in the same archaic style. The typical shrine is a windowless oblong building of unpainted timber, with a very steep overhanging roof; the front is the gable end; and the upper part of the perpetually closed doors is wooden latticework—usually a grating of bars closely set and crossing each other at right angles. In most cases the structure is raised slightly above the ground on wooden pillars; and the queer peaked façade, with its visor-like apertures and the fantastic projections of beam-work above its gable-angle, might remind the European traveler

of certain old Gothic forms of dormer.[11]

This opening description of the shrine may be unexpected and in a way surprising. The shrine here is, of course, not a "primitive old hut" as Chamberlain had put it. Neither is it just about a deep relationship with nature as is often pointed out. What Hearn depicts is the steepness of the shrine's roof, the firmly closed doors, armor- like façades, bars strictly crossing at right angles, and the straight lines of beams rising fantastically high towards the sky. Through such rectilinear and rectangular formation, steep angles, strong armors, movement reaching out for heaven, Hearn points out the manmade aspect of the architecture. He sees here the human will, as a contrast to untouched pristine "nature." Hearn even compares the form to Gothic architecture, the medieval European style, that is known for its religious aspiration towards heaven.

However, Hearn continues with the following passage:

> There is no artificial color. The plain wood soon turns, under the action of rain and sun, to a natural grey, varying according to surface exposure from the silvery tone of birch bark to the sombre grey of basalt. So shaped and so tinted, the isolated country yashiro may seem less like a work of joinery than a feature of the scenery,—a rural form related to nature as closely as rocks and trees—a something that came into existence only as a manifestation of Ohotsuchi-

no-Kami, the Earth-God, the primeval divinity of the land.[12]

Having read about the architectural design of the shrine, we now know that the colorless plain wood was not a primeval lack of technique, but had been deliberately chosen. And as a result, the wood, after being exposed to rain and sunshine, had acquired the tones of trees and rocks, thus melting into the landscape, as a part of nature itself. The scene looks as if the Earth God himself had come into existence, Hearn says. The shrine, under repeated effects of nature, had scraped off all artificiality with the years and had over time become part of nature itself.

We should here note the fact that it is the Earth god that the shrine seems to manifest and not the god of Heavens such as Amaterasu. Which means that, the rectilinial movement in the shrine building rising high up towards the sky is not sublimated in the firmament, but returns to the ground. Human aspiration for the heavens is, through a process of time, retrieved by earth in the end. In this pattern of movement, common to that observed in Hearn's description of the pathway to the shrine, we see Hearn's key interpretation of the basics of Shintō beliefs.

Furthermore, what Hearn here depicts as "the typical shrine" is "the isolated country yashiro." Not the Ise Grand Shrine, nor the outstanding Izumo Shrine, nor any other historically renowned magnificent places of worship. Hearn focuses on those countless small modest simple shrines that stand alone quietly in rural areas all over Japan, as the typical

shrine, in which the essence of Shintō is embodied.

A spirit-chamber, a ghost-house

Hearn's eyes proceed on into the inner realm of the shrine building:

> Those Shintō terms which we loosely render by the words "temple" and "shrine" are really untranslatable;—I mean that the Japanese ideas attaching to them cannot be conveyed by translation. The so-called "august house" of the Kami is not so much a temple, in the classic meaning of the term, as it is a haunted room, a spirit-chamber, a ghost-house; many of the lesser divinities being veritably ghosts—ghosts of great warriors and heroes and rulers and teachers, who lived and loved and died hundreds or thousands of years ago. I fancy that to the Western mind the word "ghost-house" will convey, better than such terms as "shrine" and "temple," some vague notion of the strange character of the Shintō miya or yashiro—containing in its perpetual dusk nothing more substantial than symbols or tokens, the latter probably of paper.[(13)]

Hearn reminds the readers that they should cast away any preconception regarding a "shrine," since a Shintō shrine, the "august house" of the kami (god), would be completely different from churches or temples they knew and would betray their

whole idea of a religion. And although having dubbed the shrine building to the manifestation of the Earth God in the preceding paragraph, Hearn states it is not the god himself that is enshrined. The divinities there enshrined are in fact ghosts, ghosts of humans "who lived and loved and died hundreds or thousands of years ago." In short, a Shintō shrine is a place where the souls of the dead inhabit after becoming kami. The "vague notion," "the strange character of the Shintō miya or yashiro" is here envisaged as "a haunted room, a spirit-chamber, a ghost-house," with nothing but "perpetual dusk" inside the firmly closed doors.

In an essay titled "The Household Shrine", Hearn repeats how "all the dead become gods,"[14] and "in this home-worship……, by love the dead are made divine; ……by simple faith they are deemed still to dwell among their beloved; and their place within the home remains ever holy."[15] Hearn, in this work, is directly referring to ancestor-worship. And putting these two citations together, we have a clearer image of how Shintō beliefs work in the shrines: man, after death, is cherished and revered in its home by its offspring, but after the lapse of years and decades, individual names are gradually forgotten and the souls, as kami, dwell on and are worshiped in the old village shrine, which is the manifestation of the earth god, thus melting into nature itself.

III The dynamics of the Shintō shrine universe

— the soul, the wind and the hillside landscape

I would like you to here recall what Aston had said about Shintō, and how he seemed to have been troubled by the "hesitating grasp of the conception of spirit, the practical non-recognition of a future state."

Hearn, just as if he intended to dissolve Aston's doubts, attempts to explicate the state of the soul after death. Hearn extends his imagination and narrates in detail about what it would be like to be enshrined as an ancestral god in Shintō.

> As for myself, whenever I am alone in the presence of a Shintō shrine, I have the sensation of being haunted; and I cannot help thinking about the possible apperceptions of the haunter. And this tempts me to fancy how I should feel if I myself were a god—dwelling in some old Izumo shrine on the summit of a hill, guarded by stone lions and shadowed by a holy grove.[(16)]

I believe it is this passage, where Hearn starts to talk with elaborately chosen words, of the feelings and sentiment of the god, that leaves the strongest impression in the first half of "The Living God." Hearn, saying he always felt "haunted" at a shrine, turns his attention to the "haunter," namely the enshrined god, and starts imagining boldly if he were on the other side, to be the

enshrined spirit in an old shrine in the woods.

Daring to fancy if one were a god, and to start a description of a shrine in the first person narrative of the god, might be seen as blasphemy and desecration, or as a shameless and absurd assumption, in a monotheistic world. There is a definite boundary between the worshipped and the worshipper, which cannot be violated. However, there is no trace of hesitation or awe when Hearn switches places from the "haunted" to the "haunter." His way of changing the point of view seems here quite natural as an association of ideas, for in a religious world where "all the dead become gods," the god is the object of worship, but at the same time, the future state of the worshipper himself.

Thus, Hearn continues his imagining:

> Elfishly small my habitation might be, but never too small, because I should have neither size nor form. I should be only a vibration—a motion invisible as of ether or of magnetism; though able sometimes to shape me a shadow-body, in the likeness of my former visible self, when I should wish to make apparition.
>
> As air to the bird, as water to the fish, so would all substance be permeable to the essence of me. I should pass at will through the walls of my dwelling to swim in the long gold bath of a sunbeam, to thrill in the heart of a flower, to ride on the neck of a dragon-fly.
>
> Power above life and power over death would be

mine—and the power of self-extension, and the power of self-multiplication, and the power of being in all places at one and the same moment. Simultaneously in a hundred homes I should hear myself worshiped, I should inhale the vapor of a hundred offerings: each evening, from my place within a hundred household shrines, I should see the holy lights lighted for me in lamplets of red clay, in lamplets of brass—the lights of the Kami, kindled with purest fire and fed with purest oil.(17)

This is the state of the soul after death in Shintō as Hearn envisioned it, in response to Aston's doubt. As birds in the sky, as fish in the sea, the invisible soul passes freely in and out of the shrine. Bathing under sunlight, shivering in flowers and riding dragon-flies, the soul here is free, liberated and soaring high like the wind itself. Thus, the dead become gods omnipresent in nature.

Hearn proceeds to imagine how these gods listen to prayers and accept offerings at shrines and at home altars as well. In the essay "The Household Shrine", he had already described in detail how Japanese ancestral deities are worshipped at home, the everyday rituals before the household Shintō or Buddhist altars. Now, in turn, Hearn is depicting the same scene from inside the altar.

In his last book *Japan: an Attempt at Interpretation* (1904), Hearn discussed ancestor worship as the most important element

in Shintō, and finding a similarity with the religion of the ancient Romans, pointed out some common characteristics. According to Hearn, there are

> three beliefs, which underlie all forms of persistent ancestor-worship in all climes and countries:—
>
> I.—The dead remain in this world,—haunting their tombs, and also their former homes, and sharing invisibly in the life of their living descendants;—
>
> II.—All the dead become gods, in the sense of acquiring supernatural power; but they retain the characters which distinguished them during life;—
>
> III.—The happiness of the dead depends upon the respectful service rendered them by the living; and the happiness of the living depends upon the fulfilment of pious duty to the dead.(18)

As Prof. Hirakawa mentioned in his lecture today, the Roman ancestor worship, which Hearn cites from Fustel de Coulange's *La Cite Antique,* and Hearn's own explanation of Japanese ancestor worship in *Japan*, bear a striking resemblance. You might even say that certain passages are almost identical.

However, there is one critical difference and that is about where on this earth the souls of the dead remain. Fustel de Coulange states that in ancient times people "wrote upon the tomb that the man rested there," and "believed so firmly that

a man lived there that they never failed to bury with him the objects of which they supposed he had need—clothing, utensils, and arms." Therefore, "The soul that had no tomb had no dwelling place. It was a wandering spirit," and "soon became a malevolent spirit" which "tormented the living."[19]

Hearn saw a slightly different state of the soul in Japanese beliefs, about which he wrote in *Japan: An Attempt at Interpretation* as follows:

> Their bodies had melted into earth; but their spirit-power still lingered in the upper world, thrilled its substance, moved in its winds and waters.[20]

The point is, the ancestral spirits in Shintō, unlike those in ancient Rome, did not stay buried in the tombs. They "thrilled" and "moved in the winds and waters." The dead, so to say, merge into nature, but here they are not doomed to "wander" like the ancient Roman spirits without tombs. They are endowed with the power to fly freely and lightly in the winds and waters. This image of the soul deeply resonates with the passage from "A Living God" and enables us to understand the nature of Shintō ancestral deities. The spirit, or deity has become the wind and comes back to the livng, to the village landscape.

Hearn continues his description as follows:.

> But in my yashiro upon the hill I should have greatest

honor: there betimes I should gather the multitude of my selves together; there should I unify my powers to answer supplication.

From the dusk of my ghost-house I should look for the coming of sandaled feet, and watch brown supple fingers weaving to my bars the knotted papers which are records of vows, and observe the motion of the lips of my worshipers making prayer:—

……

Sometimes a girl would whisper all her heart to me: "Maiden of eighteen years, I am loved by a youth of twenty. He is good; he is true; but poverty is with us, and the path of our love is dark. Aid us with thy great divine pity!—help us that we may become united, O Daimyōjin!" Then to the bars of my shrine she would hang a thick soft tress of hair,—her own hair, glossy and black as the wing of the crow, and bound with a cord of mulberry-paper. And in the fragrance of that offering,—the simple fragrance of her peasant youth,—I, the ghost and god, should find again the feelings of the years when I was man and lover.

Mothers would bring their children to my threshold, and teach them to revere me, saying, "Bow down before the great bright God; make homage to the Daimyōjin." Then I should hear the fresh soft clapping of little hands, and remember that I, the ghost and god, had been a father.(21)

Perhaps the most impressive part of this passage is where the ancestral soul begins to retrieve its human heart, when one of his descendants pays a visit and makes an offering.

When a girl comes, whispers and presents a lock of her hair, "I, the ghost and god", caught by "the fragrance of that offering", recall "the feelings of the years when I was man and lover." When a child is led by a mother to the shrine, "I, the ghost and god", hearing " the fresh soft clapping of little hands", remembers that "he had been a father."

Odor and sounds — physical senses of the body—, hear revive the memories of a faraway past; an appealing scene, sensuous in a way as if it were from a page in Proust's novels.

And I believe that Hearn's emphasis lies precisely here. That is, in a religion where ancestors are worshipped, "all men become gods"; but at the same time, one suddenly realizes that "gods were also once humans." It is this very discovery or revelation that Hearn had embodied in this captivating depiction of the god.

Thus, "the ghost and god" that had recalled being a man, steps out of the shrine, descends the hills, and comes down into the countryside of the village. Hearn continues:

> Between the trunks of the cedars and pines, between the jointed columns of the bamboos, I should observe, season after season, the changes of the colors of the valley: the falling of the snow of winter and the falling of the snow

of cherry-flowers; the lilac spread of the *miyakobana*; the blazing yellow of the *natané*; the sky-blue mirrored in flooded levels,—levels dotted with the moon-shaped hats of the toiling people who would love me; and at last the pure and tender green of the growing rice.

The *muku*-birds and the *uguisu* would fill the shadows of my grove with ripplings and purlings of melody;—the bell-insects, the crickets, and the seven marvelous cicadæ of summer would make all the wood of my ghost-house thrill to their musical storms. Betimes I should enter, like an ecstasy, into the tiny lives of them, to quicken the joy of their clamor, to magnify the sonority of their song.(22)

"The ghost and god" here beholds the scenery that extends around the foot of a mountain. Cedar woods and bamboo shrubs here and there; in winter, snow; in spring, cherry blossoms and rape flowers; early summer rice-fields filled with water, and growing rice plants promising an abundant harvest. This is precisely the view of a typical Japanese home village surrounded by rice fields and with hills behind; a landscape that can be seen all over Japan, and the image of which one cherishes in mind, in other words, an archetypal image of Japan.

We also see here an abundance of brilliant colors: white, pink, lilac, yellow, sky-blue, green, etc. At first, the god rests in the darkness of the shrine, and could see only small fragments of human form of the visitor through the bars. Then, stirred by

the fragrance of the offering and the sound of clapping hands—that is, the sense of smell and hearing—emotions are invoked. After hours of darkness, without the sense of sight to the point of asceticism, the god, upon arriving in the village, trembles joyfully at the wide expanse of countryside that brims with color.

The closing sentences act as a sonorous song of praise that resembles the final movement of a symphony, and the god joins the birdsong and insect chirps, causing the forest around the shrine to reverberate with music celebrating nature.

Reading this particular section of "A Living God", I thought, this illustrates what it means for a god to dwell in nature. Depicted in the first person from the god's point of view, the passage describes the god's joy at witnessing the brilliance of nature, which becomes the reader's joy. The effect of the first-person narrative is exemplified in the final climax.

When humans die, they become gods. The god would once ascend to the heights of the mountains, but would come down to the village again and take part in the vitality of nature. Thus, the gods return to be beside humans. In such a way, Hearn depicted the landscape of belief centering around a small rural shrine as one immense cycle that expands across the natural setting of the countryside. The motion depicted here portrays ascension toward the heavens and a return from those great heights to the earth once more, which had already been reflected in the description of the pathway to and the construction of the shrine.

The picture Hearn presents could be characterized as the

dynamism of Shintō, which can be seen in the shrine space. Within this dynamic space, humans, gods, and nature are all part of a cycle.

As is well known, the worldview presented in *Kojiki* (712) depicts the world as it is "generated." Humans spontaneously appear and are named *ao-hito-kusa* ("green-human-grass"). No depiction of one absolute God who "created" everything as an act of will is found in the text.

If this is the case, to believe that the course and salvation of the human soul are to undergo a sublimation over the gradual passage and accumulation of time, would be more reasonable than to be assigned to either heaven or hell, based on the judgment of a singular god.

Here, the human soul is transformed into an ancestral spirit as time passes. In other words, humans do not become elevated through personal revelation, nor is the soul saved by the will of God, but become spirits and *kami* revered by the living, eventually developing into omnipresent gods in nature. Ancestor and nature worship are unified in this form. Thus, responding to the doubts expressed by Chamberlain and Aston, Hearn presents a Shintō worldview as an understanding of spaces, an image rather than a theory.

Now, an addendum here: why does the tsunami story follow this?

It is my impression that the tsunami episode acts as a counterargument to Chamberlain and others who claimed that

Shintō had no moral code.

Hearn must have intended to convey to the readers that because this notion of ancestor worship and faith in nature sustained the community and functioned as a regulatory code, people were able to work together to overcome the tsunami crisis. It was an attempt to prove the case through the presentation of facts rather than theory.

And this is also true in modern times. Still fresh in our minds is the world's admiration at how commendably the victims of the Great Hanshin Earthquake and the Tohoku Earthquake acted with such self-discipline.

IV W. B. Yeats — the Celtic wind and Fairies

As already mentioned, the course of the soul in "A Living God" was depicted as a wind.

We hear echoes, whispers of the wind, such as in the passage in which the god remembers having been human:

> "I, the ghost and god, had been a lover."
> "I, the ghost and god, had been a father."

Furthermore, usage of the first-person point of view is also effective in creating a strong impression. It depicts sensations of the god as it transforms into a wind blowing through the countryside.

Why was Hearn able to adopt this view? I believe this is an

indication of Hearn's Celtic sensibilities owing to the fact that he spent his childhood in Ireland.

Hearn described the size of the shrine as "elfishly small." "Elf" refers to a fairy; Hearn stated the following during a literature lecture at the University of Tokyo, "Some Fairy Literature" (*Life and Literature*, 1917).

> The word "fairy" is a very modern word as used in the sense of spirit. The original meaning of the word was magic, supernatural power, and the old English writers used it in this sense. …… Much later the term was applied to a supernatural being or person, for which the real English word was El, or Elf.
>
> The El-people were Northern fairies.[(23)]
>
> The Celtic peoples in Ireland, …… had very strange beliefs of their own about spirits inhabiting woods, rivers and mountains, spirits capable of assuming a hundred forms. ……Ireland and Britanny remain especially the regions in which fairy beliefs widely prevail.[(24)]
>
> There is a queer imagination about this. When fairies want to take a person away from this world into fairy-land, the Irish say that they make the person melancholy, tired of life. If you are melancholy and do not care whether you live or die, the fairies get power to take you away. You die and your soul becomes a fairy.[(25)]

In other words, in Ireland, it was believed that fairies or spirits living in the hills and fields took people out of this world. According to this belief, when a person was taken into the land of the fairies, they would die, and their soul would be transformed into a fairy. Hearn then introduces "The Host of the Air," a work by the most prominent poet who writes about fairies, William Butler Yeats.(26)

Interestingly, the scene of the spirit in flight depicted in the first person by Hearn in "A Living God" is reminiscent of fairies as portrayed by Yeats.

W. B. Yeats (1865–1939), who is celebrated as one of Ireland's national writers, was a little younger than Hearn (by 15 years). He lived near the end of the 19th century and collected ancient Irish folklore, legends and stories. This mythology is retold in his works, such as *Irish Fairy Tales* (1892) and *The Celtic Twilight* (1893), which interweave stories of fairies, humans, and the spirits of the dead and are set in the natural world of Ireland in fields and hills, forests and seas, and lakes and springs.

Yeats states the following in his "Introduction" to *Fairy and Folk Tales of the Irish Peasantry* (1888).

> We have here the innermost heart of the Celt in the moments he has grown to love through years of persecution, when, cushioning himself about with dreams, and hearing fairy-songs in the twilight, he ponders on the

> soul and on the dead. Here is the Celt, only it is the Celt dreaming.[27]

In other words, according to Yeats, to associate the human soul, the dead with the fairies and their songs at twilight comprises an essential part of the Celtic identity.

In the poem "The Hosting of the Sidhe," which is at the beginning of *The Celtic Twilight* (and *The Wind Among the Reeds*, 1899), the fairies sing the following as they band together and fly down a hill through a graveyard while inviting humans to follow them.

> The winds awaken, the leaves whirl round,
> Our cheeks are pale, our hair is unbound,
> Our breasts are heaving our eyes are agleam,
> Our arms are waving our lips are apart;[28]

Yeats provides the following explanation in his "Notes" on the poem.

> The powerful and wealthy called the gods of ancient Ireland the Tuatha De Danaan, or the Tribes of the goddess Danu, but the poor called them, and still sometimes call them, the Sidhe, from Aes Sidhe or Sluagh Sidhe, the people of the Faery Hills, as these words are usually explained. Sidhe is also Gaelic for wind, and certainly the

Sidhe have much to do with the wind. They journey in whirling winds, the winds that were called the dance of the daughters of Herodias in the Middle Ages, Herodias doubtless taking the place of some old goddess. When the country people see the leaves whirling on the road they bless themselves, because they believe the Sidhe to be passing by.[(29)]

Because the same Gaelic word, *sidhe*, is used to represent the wind, the ancient gods, and the people living in the fairy hills, the three concepts have amalgamated in Irish people's imaginations. Thus, the Irish envisage fairies within the swirling wind.

The poem "Into the Twilight," which is at the end of *The Celtic Twilight*, and also included in *The Wind Among the Reeds*, portrays the fairies calling out to humans as follows.

> Come, heart, where hill is heaped upon hill,
>   For there the mystical brotherhood
> Of sun and moon and hollow and wood
>   And river and stream work out their will;[(30)]

It is noteworthy that in the beginning and ending poems of *The Celtic Twilight*, the fairies speak in first person. "The Stolen Child" (1886), alluded to by Hearn, is also quite interesting. The title is based on a common folk story in Celtic tradition in

which fairies steal a child. However, the poem itself does not recount the story of the folktale; neither the stolen child nor the child's parents are mentioned. The entire piece is a song sung by the fairies in first person. The following words are repeated throughout the song like a refrain, resonating like the whisper of the wind.

> Come away, O, human child!
> To the woods and waters wild,
> With a faery hand in hand,
> For the world's more full of weeping than
> you can understand.[(31)]

Successively, in first person, the fairies depict the landscape of the Sligo region, specific names of local places being mentioned. Sligo, in northwest Ireland, was Yeats' home county which he knew from childhood. And here, the fairies, which are ancient gods and also spirits of the dead, become the wind that blows between the familiar, natural features of the home county, moving across each feature as if caressing it.

The poet's perspective in this poem is that of the fairies. This prominent trait of Yeats' poems is clear, when compared with the well known "Der Erlkönig," (the Elf - King) by Franz Schubert, for example.

Goethe's lyrics tell a story of fairies luring a child away and taking his life; the voice of the fairy king, a spirit of the

alder trees, echoes in the sound of the stormy wind throughout the forest. In terms of composition, however, the poem employs four characters' points of view—the fairy king, the child, the father, and the narrator—each speaking in the first person in turn. The viewpoint of the poet and therefore that of the reader is experienced as the human perspective of the narrator and never that of the fairy wind. Conversely, in Yeats' poem, the poet takes the perspective of a wind blowing through the natural scenery of the local county, part fairy, part god, and part deceased human. This imagery coincides with and echoes the "ghost and god" wind in the work by Hearn. The only difference is that Hearn's work is a song of joy, expressed in a bright major key and depicts a wind blowing through the village countryside under the blue sky of summer, whereas Yeats' work is expressed as an enchanted echo in a minor key in a world of moonlight and melancholy.

V Yanagita Kunio

— *The Legends of Tono* and *About Our Ancestors*

The Legends of Tono and Yeats

Hearn was known to have followed and read Yeats' works as they appeared in periodicals before the books were published. Another ardent reader of Yeats was Yanagita Kunio (1875–1962), the father of Japanese folkloristics and, like Hearn and Yeats, a collector of traditions and folk stories. Yanagita possessed Yeats' works in his personal collection and also read *The Celtic*

Twilight. He stated in one of his letters (to Sasaki Kizen, May 1910) that the work "left a deep impression on me when I read it. The fairies of Ireland also have beings like *zashiki-warashi*. I want to complete and publish a copy of *The Legends of Tono* as soon as possible."(32)

These words reveal that Yanagita had read *The Celtic Twilight* before publishing *The Legends of Tono*, a collection of folk traditions from Tono recorded by Yanagita which was his starting point and which propelled him into becoming a pioneer of Japanese folkloristics. *The Celtic Twilight,* like *The Legends fo Tono* is a narrative of the supernatural world of the folklore Sligo and most of the stories are accounts that Yeats heard from an old man named Paddy Flynn.

If you travel to Tono today, you will find a very local atmosphere in which folk stories from *The Legends of Tono* are told in the local dialect by grandmotherly narrators.

However, if you read the actual text of *The Legends of Tono*, the words are not written in the local dialect. In terms of the content as well, some stories convey a refined, Western-style impression. This can be seen, for example, in the long-haired maiden sitting on the rock, like the maiden of Lorelei, the child who was switched by a kappa (water goblins), and the dream of floating through the air on an enchanted rock. This collection provides a different impression from Yanagita's later collection of folk stories. Given the similarity in composition and form to Yeats' *The Celtic Twilight*, in that it was recorded and compiled

from locals' stories, it is plausible enough that *The Legends of Tono* may have been inspired from Yeats' *The Celtic Twilight*.

Particularly interesting is the similarity between "The Old Woman of Samuto," one of the most popular stories in *The Legends of Tono*, and the Celtic tale of fairy kidnappers. "The Old Woman of Samuto" is a story of a young girl who disappears from underneath a pear tree, returns 30 years later and then goes back to the spirit world. It begins as follows:

> At twilight, women and children playing outside often are spirited away in mysterious ways, which also occurs in many other countries.[33]

The elements of twilight and the reference to being spirited away in the same manner as in other countries, suggest an association with Yeats' *The Celtic Twilight*. In *The Legends of Tono*, the young girl disappeared, leaving her straw sandals under a pear tree. One day, thirty years later, the young girl reappeared, very old and haggard. When asked why she returned, she replied,

> "I just wanted to come back and see everyone. Now, I am off again. Farewell."
>
> Again, she disappeared without leaving a trace.

The tale concludes with:

> "On that day the wind blew very hard. The people of Tono even now, on days when the wind roars, say that it is a day when the old woman of Samuto is likely to return."

Here, an interesting fact is that the original story as it was told to Yanagita by Sasaki Kizen of Tono still exists. The outline of the original story is the same as Yanagita's, but the ending differs. According to the original story, "...there was always a windstorm when the old woman passed along the mountain track, causing the village constant hardship. Therefore, a stone monument was erected at the edge of the village with a sealing inscription telling her never to cross this line into the village henceforth. After that, the old woman never came back." Yanagita altered this ending so that the girl, now an old woman, would return from the mountains on days when the wind blows.

Missing from the original story, yet present in Yanagita's version, is the will to embrace the wind and the sensitivity to envisage in those winds the spirits passing between this world and the other. Here we can feel the breath of the Celtic wind exalted by Yeats.

Yanagita's *About Our Ancestors*

In his final work, *Japan: An Attempt at Interpretation* (1904), Hearn had stated that ancestor worship is the basis of Japanese culture and religion. And it happens that one of Yanagita's

most important works in his later years is *About Our Ancestors* (1945).

In this work, Yanagita starts stating his opinions as follows:

> There are various ideas, according to people, about where souls go after death, this being what we could call a distinguishing feature among races[34]…….
>
> Obviously, religion is not theoretical. It is not a narrative of how things were in the past nor a declaration that there is no other way to think. How most of our people usually think about death and how they feel about it are some of the facts we must know[35]…….

Although Yanagita does not mention the names of Chamberlain or Aston, we can say it is clear whose arguments Yanagita had in mind. Yanagita continues:

> One matter which I wish to emphasize in this book is that the afterlife of our people, the eternal existence of souls within our land and not in a distant place, has been firmly maintained from the beginning of the world until now. I think this is an important feature distinguished from the doctrine of any imported religion[36]…..
>
> Ta-no-kami [rice field deity], sometimes called No-gami or Saku-gami [deity of agriculture], was identified with the ancestral spirit worshipped in each family……The

tradition that in the spring the Yama-no-kami [mountian deity] descends to the farming settlements and becomes the Ta-no-kami and ascends again into the mountains at the end of autumn to become Yama-no-kami once more, is found throughout the land from the farthest north to the farthest south, places in which the belief is not transmitted being scarce, and that it is so wide-spread makes it a fact of great importance.[(37)]

Instead of crossing into the Buddhist Paradise, the souls of our ancestors remain in a quiet, calm place in our land to return at a fixed time each year, as long as their descendants do not forget to perform the annual religious rituals.[(38)]

The ancient idea of the Japanese afterlife, that the soul ascends into the hills, still remains deep in the Japanese conscience, despite the assimilation of Buddhism over a thousand years.[(39)]

In other words, in *About Our Ancestors*, Yanagita is stating that the notion which can be deduced based on folk traditions of the whole country is that when people die, they become ancestral spirits and are deified by their descendants; they reside in the mountains overlooking their home villages and watch over their descendants' homes; and they are invited to visit those homes at the Bon Festival and the New Year. Thus, the two worlds of the living and the dead intersect. The gods of the New Year, of

the mountains, and of the fields that come to visit each season are, in fact, ancestral spirits looking out for the welfare of their descendants.

An assessment of Yanagita's ancestral spirit theory states that "by far, one of the main achievements of Yanagita's folkloristics has been to ascertain this Japanese view of life and death based on the objective facts of folklore tradition, amidst a history of Japanese spirituality where all of what we had known until then was the Buddhist idea of endless transmigration through the six posthumous worlds, and after-death concepts centered around heaven and hell" (commentary to *About Our Ancestors* by Shintani Takanori)[40]. However, the model for the way the ancient Japanese viewed the soul, presented here by Yanagita, was already apparent in Hearn's "A Living God." We could say that Yanagita's fieldwork had in fact fleshed out the imagery presented by Hearn.

Yanagita was well-versed in Hearn, Yeats, and even Chamberlain. If this is the case, it is quite natural to think that their works might have inspired or influenced Yanagita when he inquired into, and consolidated, the imagery of the Japanese soul, ancestors, and Shintō.

Since the Meiji period, Japan has come into contact with the modern West, which constantly raises the question, "What is Japan?" As Japan has established its own self-awareness, works by Hearn and Yanagita certainly have presented a significant vision. We have seen how Yeats' Celtic wind can be felt in the

works of Hearn and Yanagita. The Celtic imagination might well have provided inspiration and confidence as Japan sought its own identity.

Though Hearn argued against the views held by Chamberlain and others on Shintō, he did not necessarily deny their efforts, making the following statement:

> when the result of such (scholarly) efforts shall have been closely combined with a deep knowledge of Japanese thought and feeling,—the thought and sentiment, not of a special class, but of the people at large,—then indeed all that Shintō was and is may be fully comprehended. And this may be accomplished, I fancy, through the united labour of European and Japanese scholars. ("The Household Shrine")[41]

Hearn here suggests that efforts to understand Shintō would be more fruitful and meaningful if scholars from Japan and Europe learned from each other.

Thus far, we have discussed how Hearn depicted a Japanese shrine and the Japanese Shintō religious worldview—provoked by the questions of Chamberlain and Aston. We have also seen how Celtic traces can be found in his interpretations, and how we can place Yanagita Kunio's work within this context.

The Celtic wind blew in Hearn's Meiji-era works and Yanagita's Taisho-era and Showa-era works.

I feel that those winds, although in a different attire, may

still be blowing through this shrine forest now, in our modern day Tokyo.

Notes

(1) “Shinto”, *Things Japanese,* London: John Murray, 5th ed. 1905, p. 423.

(2) “The Shintō Temples of Ise.” *Transactions of the Asiatic Society of Japan* 1:2 (1874), p. 106.

(3) *Unbeaten Tracks in Japan,* 1880.

(4) *THINGS JAPANESE — CompleteEdition,* Basil Hall Chamberlain, ed. by Takanashi Kenkichi, Tokyo, Meicho Fukyu Kai, 1985, p. 14.

(5) “Shinto”, *Things Japanese,* pp. 418-419.

(6) “Shinto”, *The Way of The Gods,* W. G. Aston, Longmans, Green, and Co, London, 1905, p. v.

(7) “Kitzuki: The Most Ancient Shrine of Japan”, *Glimpses of Unfamiliar Japan,* vol.1,Houghton Mifflin Co., 1894, pp. 209-210.

(8) “The Household Shrine”, *Glimpses of Unfamiliar Japan,* vol.2, p. 386.

(9) “From A Traveling Diary”, *Kokoro: Hints and Echoes of Japanese Inner Life,* Houghton Mifflin, 1896, pp. 50-51.

(10) First appeared in *Atlantic Monthly,* Dec. 1896.

(11) “A Living God”, (*Gleanings in Buddha-fields,* 1897). *The Writings of Lafcadio Hearn,* vol.8. Houghton Mifflin Co., 1922, p. 3.

(12) *Ibid*., pp. 3-4.

(13) *Ibid*., pp. 4-5.

(14) “The Household Shrine”, *op. cit.,* p. 394.

(15) *Ibid.,* p. 415.

(16) “A Living God” *op. cit.,* pp. 5-6.

(17) *Ibid*., p. 6.

(18) *Japan, An Attempt at Interpretation,* New York, The Macmillan Company, 1904, p. 37.

(19) *The ancient city: a study on the religion, laws and institutions of Greece and Rome,* Translated by Willard Small, New York, Charles T. Dillingham,1877, pp. 17-18.

(20) *Japan, An Attempt at Interpretation,* p. 33.

(21) “A Living God” *op. cit.,* pp. 6-8.

(22) *Ibid.*, pp. 10-11.

(23) "Some Fairy Literature" *Life and Literature,* ed. by John Erskine, New York, Dodd, Mead and Co., 1917, p. 324.

(24) *Ibid.* p. 325.

(25) *Ibid.* p. 329.

(26) *Ibid.* pp. 326-327.

(27) "Introduction", *Fairy and Folk Tales of the Irish Peasantry,* selected and edited by W. B. Yeats, London: Walter Scott, 1888, p. xv.

(28) "The Hosting of the Sidhe", *The Celtic Twilight,* London, A.H.Bullen, 1902, p. vii.

(29) "Notes to The Hosting of the Sidhe," *The Wind Among the Reeds,* London, Elkin Mathews,1903, 4th ed., pp. 65-66.

(30) "Into the Twilight", *ibid,* p. 13.

(31) "The Stolen Child", *Fairy and Folk Tales of the Irish Peasantry,* p. 60.

(32) Letter to Sasaki Kizen, (*Ishigami-Mondoh,* Tokyo, Juseidoh,1910, p. 176).

(33) Kunio Yanagita. *The Legends of Tono: 100th Anniversary Edition.* Translated by Ronald Morse, New York: Rowman & Littlefield Publishers, Inc., 2008, (original edition by Tokyo: The Japan Foundation, 1975), p. 15.

(34) Kunio Yanagita: *About our ancestors — the Japanese family system.* Translated by Fanny Hagin Mayer and Ishiwara Yasuyo., Japan Society for the Promotion of Science, 1970, p. 141.

(35) *Ibid.*, p. 142.

(36) *Ibid.*, p. 61.

(37) *Ibid.*, p. 74.

(38) *Ibid.*, p. 75.

(39) Translated from "Tamashii no Yukue", *Yanagita Kunio Zenshuu 13,* Tokyo, Chikuma Bunko, 1990, p. 700.

(40) *Ibid.*, p. 734.

(41) "Thc Household Shrine", *op. cit.,* p. 387.

Afterword

Yoko MAKINO

June 3, 2017 on which the International Symposium on Shinto was held, was a beautiful, clear sunny day. Early on this Saturday afternoon, Meiji Shrine was quietly teeming with worshipers. In addition to the young people apparently on their way back from Harajuku, there was an impressive number of overseas visitors. Walking in small groups along the road leading to the shrine, some were looking up at the large Torii gate and some were gazing at the sight of the large trees in the shrine's grove, while others looked down at their feet, as if to check the sound of feet on gravel.

Seeing these overseas visitors took me back to my childhood, visiting this shrine with my parents after eight years away in the West. I remembered the tranquility of the trees on the shrine grounds, the serene atmosphere of the forest surrounding the shrine, and the inexplicable sense that I had indeed returned home to Japan. We had a kami-dana (a Shintō shrine) in the house and a butsudan (a Buddhist altar) as well. That has not changed, even now. Thinking back, on special ceremonious occasions, it is usually at a shrine—not a temple—that I go to worship. But at home, it is before the altar, not the shrine, that I

feel deeply moved by religious emotions, especially during the Bon Festival. I was never aware of why this was so, but reading about Japanese religions in textbooks left me with a feeling that something was missing. However, when I read Lafcadio Hearn's work, a lot of it made sense.

In the early Meiji Period, Chamberlain and others first discussed Shintō in the belief that in order to understand another culture, one must first understand the religion of that culture. Culture has its roots in religion. Hearn's work on Japanese folk customs and culture picks up well on the uniqueness of Japanese religious sensitivity. At the same time, it is interesting to note that his work had the breadth of imagery relating to the Celts before Christianity.

It is unfortunate that Japanese people today occasionally describe themselves as "not particularly religious", which may only be because they unconsciously accept the idea of "religion" itself defined according to the Western conditions of "legitimate religion," as per Chamberlain and others.

I would like to express my gratitude to the Meiji Jingū Intercultural Research Institute, Professor Sukehiro Hirakawa and Kinseisha, for granting me this opportunity to think again about Shintō, the shrine, and Japan's religious sensitivity.